Les droits de l'homme,
un combat d'aujourd'hui

texte
Isabelle Bournier

illustrations
Florent Silloray

casterman

Illustration couverture
Olivier Balez

Conception graphique et réalisation
Cécile Chaumet (http://zazanapoli.com)

Crédits photographiques

© Casterman 2013
www.casterman.com

ISBN 978-2-203-06481-2
N° édition : L.10EJDN001158.N001
Dépôt légal : octobre 2013
D.2013/0053/382

Imprimé en Espagne par Edelvives, en août 2013.

sommaire

« Là où les droits de l'homme sont bafoués,
il ne faut pas espérer que les citoyens expriment leurs talents,
ni qu'ils contribuent à la prospérité de leur pays. Si elle n'instaure
pas l'état de droit, ne protège pas l'individu et ne se débarrasse
pas de la corruption, une société ne peut se développer
à long terme. »

Par ces mots, Kofi Annan, ancien secrétaire général de l'ONU, résume parfaitement l'enjeu des droits de l'homme aujourd'hui, et l'ambition qui doit être la nôtre. Le respect des droits humains ne sera pas une conséquence du développement, il en est le préalable, il en constitue le socle.

S'inscrivant dans cette réflexion, ce livre n'est pas un simple inventaire des droits de l'homme. Il n'est pas non plus le catalogue des nombreux textes constituant l'arsenal juridique qui les garantit. L'angle choisi est celui d'une réflexion sur la réalité des droits humains dans le monde d'aujourd'hui, et sur l'enjeu que représente la défense des droits fondamentaux dans le monde de demain. Une invitation à réfléchir à l'élaboration de nouveaux droits pour l'avenir permet, en conclusion de l'ouvrage, de mettre en débat un certain nombre de questions sur lesquelles le jeune lecteur pourra se faire une opinion.

Penser qu'aujourd'hui les droits humains s'imposent comme une évidence serait une grave erreur. Cependant, même si les droits de l'homme sont parfois remis en cause au nom du multiculturalisme, les droits fondamentaux comme le respect de la vie, de l'intégrité physique ou de la dignité, demeurent incontestables, et il est essentiel de comprendre qu'ils sont la clé de notre avenir, à tous.

non-violence

« Non-violence » est une sculpture
réalisée par l' artiste suédois
Carl Fredrik Reuterswärd.
Un exemplaire de ce revolver
noué est exposé devant le siège
de l' ONU à New York.

Petite histoire des droits de l'homme

DE L'ESPRIT
DES
LOIX

OU DU RAPPORT QUE LES *LOIX*
DOIVENT AVOIR AVEC LA CONSTITUTION
DE CHAQUE GOUVERNEMENT, LES
MŒURS, LE CLIMAT, LA RELIGION, LE
COMMERCE, &c.

à quoi l'Auteur a ajoûté

Les droits de l'homme commencent
par un petit déjeuner.

Léopold Sédar Senghor (1906-2001), poète et premier président
de la République du Sénégal

L'idée que le seul fait d'être humain accorde à la personne un certain nombre de droits est une notion très ancienne. Mais ce qui caractérise le concept de droits de l'homme, c'est de donner à ces droits une valeur juridique qui grandira au fil des siècles.

Il existe aujourd'hui trois générations de droits. La première est celle des droits civils et politiques. Nés à la fin du XVIIIe siècle, ces droits protègent la personne d'un pouvoir oppresseur. Il s'agit par exemple du droit à la vie ou à la liberté d'expression. La deuxième génération est celle des droits économiques, sociaux et culturels. À l'inverse des droits politiques opposables à l'État, ces nouveaux droits sont garantis par l'État. Ils regroupent le droit au travail, à l'éducation ou à la santé. Une troisième génération, appelée « droits de solidarité » proclame le droit au développement, à la paix et à la vie dans un environnement sain.

Il a fallu du temps pour que les droits économiques et sociaux soient considérés comme aussi importants que les droits civils et politiques mais aujourd'hui, tous sont reconnus comme interdépendants.

QUELLE LIBERTÉ SANS TRAVAIL ? QUELLE LIBERTÉ D'OPINION SANS ÉDUCATION ? QUEL DROIT À LA VIE SANS DROIT À UN ENVIRONNEMENT SAIN ?

Tout commence dans l'Antiquité

On peut faire remonter l'histoire des droits de l'homme à l'Antiquité et plus précisément au code Hammourabi rédigé vers 2000 av. J.-C., à l'initiative du roi de Babylone. Premier texte juridique écrit puis gravé sur une stèle, ce document était destiné à faire régner la justice dans le royaume, à empêcher les forts d'opprimer les faibles et à veiller au bien-être du peuple. Au fil des siècles, la notion de droit de l'homme va s'enrichir de la réflexion des philosophes et se structurer grâce au travail des juristes.

Vente d'une esclave, tableau de Jean-Léon Gérome (vers 1884)

Le cylindre de Cyrus

Le cylindre de Cyrus

En 539 av. J.-C., le roi de Perse, Cyrus le Grand, s'empare de la ville de Babylone. À peine la conquête achevée, **le roi décrète qu'il faut libérer les esclaves** qui peuvent rentrer chez eux. Il décide aussi de laisser chacun libre de choisir sa religion. Gravés sur un cylindre d'argile, ces écrits sont connus sous le nom de « Cylindre de Cyrus » et sont considérés, aujourd'hui, comme l'**une des premières déclarations des droits de l'homme.** Cet extrait en rappelle l'essentiel : « Il règne pacifiquement, délivre certaines personnes de corvées considérées comme injustes, il octroie aux gens déportés le droit de retour dans leur pays d'origine et laisse les statues de divinités autrefois emmenées à Babylone revenir dans leurs sanctuaires d'origine. Il proclame la liberté totale de culte dans son empire. »

La nature de l'homme chez les philosophes grecs

De Babylone, le concept des droits de l'homme se répand en Inde, en Grèce puis à Rome. Au Vᵉ siècle av. J.-C., **des philosophes grecs lui donnent un nouvel éclairage.** Pour eux, tous les hommes sont égaux par nature et les lois, comme l'esclavage, qui bafouent cette égalité sont contre nature. Platon pense qu'il existe une nature universelle de l'homme et Sophocle affirme que le droit naturel doit être supérieur au droit juridique, et qu'il est légitime de s'opposer au pouvoir quand celui-ci décrète des lois injustes.

Platon

Sophocle

DROIT NATUREL CONTRE DROIT JURIDIQUE

• LE DROIT NATUREL regroupe les droits qu'un être humain possède naturellement, du simple fait de son appartenance à l'humanité. Il s'agit de valeurs morales, de la liberté ou de l'égalité entre les hommes.

• LE DROIT JURIDIQUE qui se compose des lois et du système judiciaire s'est souvent opposé au droit naturel, en établissant des règles injustes, en autorisant des comportements arbitraires et en défavorisant une catégorie de la société au profit d'une autre.

Veux-tu bien te dire que cet être que tu appelles ton esclave est né de la même semence que toi ; qu'il jouit du même ciel, qu'il respire le même air, qu'il vit et meurt comme toi. Tu peux le voir libre comme il peut te voir esclave.

SÉNÈQUE,
LETTRE À LUCILIUS, 1ᵉʳ SIÈCLE APR. J.-C.

Cicéron

Rome et le droit naturel

Quelques siècles plus tard, Cicéron et Sénèque, juriste et philosophe, reprennent l'idée d'une **égalité naturelle entre les hommes.** Cette égalité serait fondée sur la théorie suivante : chaque homme est l'égal de tous les autres dans le fait de naître, de grandir et de mourir. Dans son livre *De la République*, Cicéron affirme : « Il est une loi vraie, [...] conforme à la nature, diffuse en tous, éternelle, qui appelle à ce que nous devons faire en l'ordonnant, et qui détourne du mal [...]. Elle n'est pas autre à Rome qu'à Athènes ; elle n'est pas autre aujourd'hui que demain ; mais une loi éternelle et immuable.» Les juristes romains intègreront ce concept d'égalité naturelle dans le *Corpus Iuris Civilis* (le Corpus de droit civil) qui constitue la plus grande compilation du droit romain antique, instituée par l'empereur Justinien Iᵉʳ, au VIᵉ siècle apr. J.-C.

Charles 1er, roi d'Angleterre (1600-1649)

Les grands textes anglais

(XIIIe – XVIIe siècles)

C'est en Grande-Bretagne qu'apparaissent à partir du Moyen Âge des textes très importants que l'on considère aujourd'hui comme précurseurs des déclarations contemporaines sur les droits de l'Homme. Pionnière, l'Angleterre sert alors d'exemple à toute l'Europe encore soumise à la monarchie absolue et à l'arbitraire.

La Grande Charte

Le 15 juin 1215, las de voir le roi bafouer les coutumes ancestrales, **les barons anglais contraignent Jean sans Terre à signer un texte limitant l'arbitraire royal.** Par ce document appelé **« Grande Charte »** ou *Magna Carta Libertatum*, le souverain s'engage à ne pas lever d'impôts extraordinaires sans l'accord de la noblesse et du clergé, et autorise les citoyens à posséder et à hériter des biens de leurs parents. **Le roi renonce aussi aux arrestations arbitraires** comme le précise l'article 39 : «Aucun homme libre ne sera saisi, ni emprisonné ou dépossédé de ses biens, déclaré hors-la-loi, exilé ou exécuté, de quelques manières que ce soit. Nous ne le condamnerons pas non plus à l'emprisonnement sans un jugement légal de ses pairs [...]».

La Pétition des droits

En 1628, le Parlement anglais adresse une pétition au roi **Charles Ier** lui rappelant que, depuis le début de son règne, il bafoue les lois et les coutumes du pays, manquant gravement au respect des libertés anglaises. Contraint d'accepter ce texte intitulé **« Pétition des droits »**, le roi d'Angleterre s'engage à ne lever aucune taxe sans le consentement du Parlement, à n'emprisonner aucun citoyen anglais sans raison, à ne pas instaurer la loi martiale en temps de paix…

Extrait de la Grande Charte (1215)

La Tour de Londres, où de nombreuses personnes tombées en disgrâce furent emprisonnées et mises à mort.

Extrait du Bill of Rights (1689)

L'Habeas Corpus

Il aura fallu attendre presque cinq siècles après la Grande Charte pour que soient mises en place des procédures précises de protection des libertés individuelles. C'est l'objet de **« l'Habeas corpus Act »,** voté par le Parlement anglais en 1679. Cette loi, qui **interdit les emprisonnements arbitraires,** autorise toute personne arrêtée à savoir de quels crimes elle est accusée et lui garantit d'être **présentée devant un juge** sans délai. Après examen du dossier, le tribunal prend la décision de maintenir la personne en prison ou de la libérer.

LA CHARTE DU MANDEN

Il n'y a pas qu'en Europe que les droits de l'homme commencent à se structurer. EN AFRIQUE, une charte aurait été proclamée en 1222 par Soundjata, le fondateur de l'Empire du Mali. C'est une des plus anciennes constitutions au monde, même si elle n'existe que sous forme orale. Prônant la paix sociale dans la diversité, l'inviolabilité de la personne humaine, l'éducation, la sécurité alimentaire, l'abolition de l'esclavage par razzia, la liberté d'expression... elle s'est transmise oralement jusqu'à aujourd'hui.

Le « Bill of Rights »

Faisant suite à la « Pétition des droits », le *Bill of Rights* ou **« Déclaration des droits »** est un texte fondamental qui définit les principes de la monarchie parlementaire en Angleterre en limitant l'absolutisme royal. L'article 1 de ce texte énonce un principe essentiel : **la loi est au-dessus du roi.** Il est écrit : « Que le prétendu pouvoir de l'autorité royale de suspendre les lois ou l'exécution des lois sans le consentement du Parlement est illégal ». **Le souverain est désormais soumis aux lois votées par le Parlement,** lois qu'il ne peut ni suspendre ni abolir. Le reste du texte de cette déclaration découle de ce premier article et donne la réalité du pouvoir au Parlement qui est régulièrement réuni. Dans ce texte, adopté en 1689, les libertés individuelles sont rappelées, le **droit de pétition** reconnu, ainsi que le **droit de voter librement.**

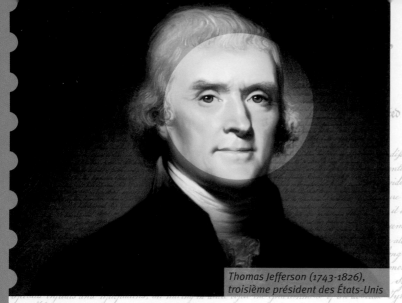

Thomas Jefferson (1743-1826), troisième président des États-Unis

Le XVIIIe siècle est marqué par deux grandes révolutions : la révolution américaine et la révolution française. Ces deux événements ont bouleversé l'ordre établi depuis des siècles et ont favorisé la concrétisation juridique des idées des Lumières. Plusieurs textes défendant les droits humains ont vu le jour à cette époque, ils serviront de base aux déclarations des siècles futurs.

Les Révolutions
de la fin du XVIIIe siècle

La Déclaration d'indépendance des États-Unis

Le **4 juillet 1776**, la **Déclaration d'indépendance des États-Unis** officialise la rupture des colonies américaines avec la Grande-Bretagne. Marqué par l'influence des Lumières, ce texte qui a été rédigé par **Thomas Jefferson** place la liberté au cœur de son discours. Il insiste sur les droits individuels, déclarant que : «Tous les hommes sont égaux» – mais il n'abolit par l'esclavage pour autant – et affirme le droit à la révolution. Ces idées se diffusent aux États-Unis puis franchissent les frontières, **influençant en particulier la Révolution française de 1789.** Considérée comme un des textes fondateurs de la nation américaine, cette déclaration sera suivie de la **Constitution américaine en 1787** et du *Bill of Rights*, en 1791, qui établira la liberté de la presse, d'expression, de religion, de réunion. de port d'armes...

Peinture allégorique de la Déclaration des droits de l'homme et du citoyen (1789).

> Pour accéder aux Lumières, il n'est rien requis d'autre que la liberté ; et à vrai dire la liberté la plus inoffensive [...] est celle de faire un usage public de sa raison dans tous les domaines. Mais j'entends crier de tous côtés : « Ne raisonnez pas ! ». L'officier dit : « Ne raisonnez pas, exécutez ! Le financier dit : Ne raisonnez pas, payez ! » Le prêtre dit : « Ne raisonnez pas, croyez ! »

EMMANUEL KANT,
QU'EST-CE QUE LES LUMIÈRES ? 1784.

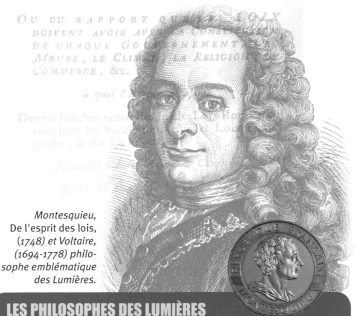

Montesquieu, De l'esprit des lois, (1748) et Voltaire, (1694-1778) philosophe emblématique des Lumières.

La Déclaration des Droits de l'homme et du citoyen

Imprégnée de la philosophie des Lumières et inspirée par la Déclaration d'indépendance américaine, **la Déclaration des droits de l'homme et du citoyen** met fin à l'Ancien Régime. Rédigé alors que la Révolution française vient d'éclater, **ce texte est voté par l'Assemblée nationale constituante le 26 août 1789.** Il faudra attendre le 5 octobre pour que le roi le ratifie, sous la pression de l'Assemblée et du peuple qui s'étaient déplacés à Versailles.

La déclaration fixe de nouveaux principes qui jusqu'alors n'existaient pas : **les hommes deviennent des citoyens** qui peuvent participer à la vie politique du pays et sont **égaux en droits.** Le texte définit aussi des droits « naturels et imprescriptibles » comme la liberté, la propriété, la sûreté et la résistance à l'oppression. Il reconnaît l'égalité devant la loi et devant la justice. Il affirme enfin le principe de la **séparation des pouvoirs,** c'est-à-dire le fait que les trois grandes fonctions de l'État – le pouvoir exécutif, le pouvoir législatif et le pouvoir judiciaire – doivent être indépendantes.

Bien qu'il soit considéré comme imparfait, le texte de 1789 est resté une référence essentielle pour les futures constitutions de la France.

LES PHILOSOPHES DES LUMIÈRES

AU XVIIIe SIÈCLE, la philosophie est en plein essor. À la fin du règne de Louis XIV qui a gouverné en monarque absolu, les philosophes commencent à porter un regard critique sur la société. Prônant l'accès à la connaissance par l'éducation, ils veulent apporter les « Lumières » de la raison pour améliorer la vie des hommes. Ils défendent les idées de liberté, d'égalité et de tolérance, s'interrogeant sur les rapports entre les hommes et l'État, et déclarent que le droit naturel doit être une limite à la puissance de l'État. Même si leur influence reste limitée aux élites de la société, leurs idées se répandent en Europe et au-delà.

La Déclaration universelle des droits de l'homme de 1948

Au lendemain de la Seconde Guerre mondiale, alors que le monde est encore sous le choc d'un conflit qui a fait 55 millions de morts dont 30 millions de civils, la toute nouvelle Assemblée générale des Nations unies proclame la Déclaration universelle des droits de l'homme. Ce 10 décembre 1948 marque une étape décisive car, pour la première fois, plus de cinquante États se mettent d'accord sur un document à dimension internationale.

Siège de l'Organisation des Nations unies (ONU), New York.

Logo de l'ONU

30 articles pour définir les droits de l'hommes

Présentée comme **« l'idéal commun à atteindre par tous les peuples et toutes les nations »,** la Déclaration énumère les **droits civils, politiques, économiques, sociaux et culturels** auxquels toute personne peut prétendre quel que soit le pays où elle vit. Le premier article reconnaît à l'homme le droit à la dignité, à la liberté et à l'égalité des droits.

Une série d'articles énonce ensuite des droits protégeant l'être humain : le droit à la vie, l'interdiction de l'esclavage, de la torture… la liberté d'opinion, de religion… les droits économiques et sociaux comme le droit au travail, à la santé, à l'éducation… En 1966, deux pactes sont ajoutés à la Déclaration. Cet ensemble de textes constitue la **Charte internationale des droits de l'homme.**

La Déclaration universelle et ses limites

Ce texte que l'on qualifie d'intemporel l'est-il vraiment ? N'est-il pas au contraire **la vision d'une époque fortement traumatisée par la guerre ?** On dit aussi que ce texte est un aboutissement, celui du combat pour les droits de l'homme mené depuis plusieurs siècles. **Ne devrait-on pas plutôt le considérer comme une étape** qui devra être complétée par de nouveaux textes comme ce sera le cas avec la Déclaration des Droits de l'enfant en 1959 ? Enfin, ne voit-on aucune contradiction quand, en 1948, la France et la Grande-Bretagne signent la Déclaration alors que dans le même temps ce sont deux pays colonialistes ? Ces questions mises à part, on peut néanmoins considérer que la Déclaration est un texte important qui reste, aujourd'hui, **une référence majeure sur les droits de l'homme.**

LES DROITS FONDAMENTAUX

Considérés comme le noyau dur des droits de l'homme, ces droits fondamentaux déclinés dans la Déclaration Universelle des droits de l'homme et dans les deux pactes de 1966, sont la base du droit international et sont à l'origine de nombreux traités qui engagent les États.

DÉCLARATION, CONVENTION ET TRAITÉS INTERNATIONAUX

LA DÉCLARATION UNIVERSELLE n'a aucun caractère obligatoire mais revêt une très forte autorité morale. À l'inverse, les traités internationaux et les conventions ont un caractère obligatoire. Par des rapports réguliers, les États signataires doivent démontrer qu'ils respectent ces textes.

La Convention européenne des droits de l'homme et autres conventions régionales

Inspirée de la Déclaration universelle, la Convention européenne des droits de l'homme (1950) définit un certain nombre de **droits civils et politiques** et de libertés que les États signataires s'engagent à appliquer. La Cour européenne des droits de l'homme qui siège à Strasbourg a été créée pour faire respecter cette Convention. En Amérique du Nord et du Sud, en Afrique et en Asie, déclarations et conventions voient le jour. Les **États africains** rédigent leur propre Déclaration des droits de l'homme en 1981 et les **États musulmans** adoptent la Déclaration du Caire sur les Droits de l'homme en Islam, en 1990. Une **Charte asiatique** des droits de l'homme est proclamée en 1986.

Au milieu du XXᵉ siècle, colons d'Afrique Noire surveillant le travail dans une plantation.

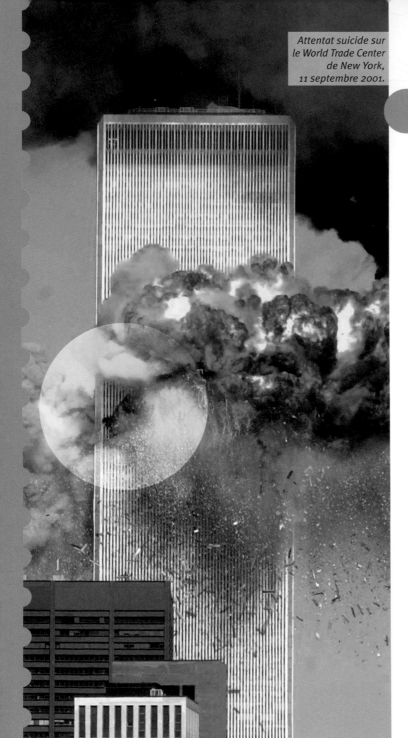

Attentat suicide sur le World Trade Center de New York, 11 septembre 2001.

2001 : les attentats du World Trade Center et leurs conséquences

« Le 11 septembre 2001 [...] a fait régresser la politique des droits de l'homme. Juridiquement, moralement, les attentats du 11 septembre qui frappent délibérément, pour des raisons idéologiques, des victimes innocentes et anonymes, relèvent du crime contre l'humanité. [...] Mais après le 11 septembre, **George Bush a commis une faute historique** dont on supportera très longtemps le coût moral et politique. En inventant **Guantanamo, zone de non-droit absolu,** en faisant voter le *Patriot Act,* ces lois d'exception, en **légalisant la torture** [...], les États-Unis, qui s'étaient toujours proclamés champions des droits de l'homme, ont **bafoué leurs principes fondamentaux.** [...] Leurs adversaires ont dès lors beau jeu de dénoncer le double langage de l'Occident. [...] Ne chantez pas l'universalisme des droits de l'homme, quand en réalité vous les trahissez en fonction de vos intérêts. [...] »

ROBERT BADINTER, *Le Nouvel Observateur,* 4 janvier 2009

À la fin du XXe siècle, les droits de l'homme s'affirment comme une valeur morale reconnue par de nombreux États. Mais la confiance des pays occidentaux en leur avenir s'est trouvée brutalement déstabilisée par les attentats qui frappent les États-Unis en 2001 et par l'émergence de nouveaux pays d'Asie, du Moyen Orient et d'Amérique du Sud qui ont une conception des droits de l'homme différente de celle de l'Occident.

Les droits de l'homme en question

L'universalité des droits de l'homme contestée ?

Aujourd'hui, deux conceptions des droits de l'homme s'affrontent. D'un côté, la **vision occidentale** estime que les droits définis dans la Déclaration de 1948 sont **universels et indivisibles,** c'est-à-dire qu'un État ne peut en adopter certains et pas d'autres. De l'autre, il existe une conception totalement différente des droits de l'homme dans laquelle les États définissent **un certain nombre de droits selon des critères qui leur conviennent,** rejetant le **concept d'universalisme.**

Couple devant un cadi, juge musulman réglant les problèmes de vie quotidienne (mariages, divorces, successions...).

Le point de vue de la Chine

Les textes officiels chinois affirment : « La Chine s'oppose fermement à ce que quelque pays que ce soit se serve des droits de l'homme pour imposer ses valeurs, son idéologie, ses conceptions politiques et son mode de développement à d'autres pays. » En un mot, la Chine dénonce les pays occidentaux qui utiliseraient les droits de l'homme comme un **moyen d'ingérence idéologique et économique.** Le gouvernement chinois reconnait cependant que la Chine rencontre des problèmes en matière de droits de l'homme, en particulier dans le domaine de la justice.

Droits de l'homme en pays musulmans

De la même manière, l'Organisation de la Conférence islamique qui rassemble **57 États musulmans** affirme que l'universalité des droits n'est qu'un **« prétexte pour s'ingérer dans les affaires intérieures** des États et porter atteinte à leur souveraineté nationale ».
En 1990, est proclamée la « Déclaration du Caire sur les droits de l'homme en Islam » dont voici un article : « L'homme naît libre. Nul n'a le droit de l'asservir, de l'humilier, de l'opprimer ou de l'exploiter. Il n'est de servitude qu'à l'égard de Dieu. » (art.11a). Ce texte qui adapte les principes de la Déclaration universelle a été complété, en 2004, par la Charte arabe des droits de l'homme.

ET EN EUROPE ?

Si l'Europe est aujourd'hui le continent qui respecte le mieux les droits de l'homme, on note cependant quelques régressions préoccupantes, liées en particulier à la lutte contre le terrorisme.
• L'ANGLETERRE, qui a inventé l'Habeas Corpus, a adopté des lois critiquables sur la garde à vue, le fichage ou l'assignation à résidence.
• EN FRANCE aussi, la création de fichiers qui accompagnent les nouvelles mesures de sécurité inquiète. Les conditions de détention dans les prisons ou les centres de rétention constituent, par ailleurs, une autre atteinte aux droits humains.

Droits de l'homme
et défenses
des
libertés

No CHILD SOLDIERS

> Le militantisme en faveur des droits de l'homme n'a jamais été plus d'actualité. Et grâce au pouvoir des réseaux sociaux, des gens ordinaires sont devenus des militants des droits de l'homme.

Organisation des Nations unies, 2012.

Aujourd'hui, les droits de l'homme sont de plus en plus présents dans l'information diffusée par les médias. Il ne se passe pas une journée sans que les droits des minorités soient rappelés, sans que les droits au travail ou au logement soient revendiqués et sans que le droit à la liberté d'expression soit brandi face aux menaces de la censure.

Mais cette agitation médiatique témoigne-t-elle pour autant de progrès majeurs sur le terrain ? D'après les rapports de l'ONU, il apparaît que l'amélioration de la situation des droits de l'homme est très difficile à réaliser de façon durable et que finalement, depuis dix ans, le monde a peu changé. Quelle est aujourd'hui la réalité des droits de l'enfant ? Les femmes sont-elles mieux protégées de la violence ? Les dictatures et leurs terribles violations des droits de l'homme sont-elles en recul ? La liberté d'opinion et d'expression progresse-t-elle ? Quant à une justice équitable pour tous, n'est-ce qu'un vain espoir ?

Si certains font le triste constat qu'aujourd'hui l'enjeu pour les droits de l'homme c'est avant tout de ne pas reculer, d'autres continuent à se mobiliser pour faire face à l'urgence en matière de défense des droits humains.

" Les hommes naissent libres et égaux en dignité et en droits "

ARTICLE 1 DE LA DÉCLARATION UNIVERSELLE DES DROITS DE L'HOMME

Les hommes naissent égaux.
Dès le lendemain, ils ne le sont plus.

JULES RENARD, ÉCRIVAIN FRANÇAIS,
JOURNAL 1905-1910.

Le premier des droits : avoir une identité

L'identité regroupe le nom, le prénom, la date de naissance, le sexe et la nationalité. Avoir une identité est un droit fondamental. L'enfant déclaré à la naissance par ses parents sera **reconnu officiellement au regard de la loi** et l'État devra le protéger de la maltraitance et de toute forme d'exploitation. C'est en Asie du Sud-est et en Afrique sub-saharienne que se concentre le plus grand nombre d'enfants non enregistrés à la naissance. **Dans ces régions, près d'un enfant sur trois n'a pas d'identité.** En Somalie, seulement 3 % des enfants sont enregistrés auprès de l'état civil. En Afghanistan, au Bangladesh, en Éthiopie, ce taux est inférieur à 10 %. **Ce phénomène touche essentiellement les familles pauvres** qui, faute d'éducation, d'argent ou de moyen de transport pour se rendre dans la ville la plus proche, ne font pas les démarches nécessaires à l'enregistrement d'une nouvelle naissance.

La notion de « droits de l'homme » englobe les libertés auxquelles toute personne peut prétendre du simple fait de sa condition humaine. Tous les êtres humains, quels que soient le pays où ils vivent, leur sexe, leur origine ethnique ou leur religion, doivent pouvoir bénéficier de ces droits.

Cette Ivoirienne montre fièrement le certificat de naissance qu'elle vient d'obtenir. Elle détient enfin une identité officielle !

Familles dans un camp de réfugiés palestinien.

ZEIHAB HARSAN, PALESTINIENNE ET APATRIDE

LES PALESTINIENS représentent la plus grande communauté d'apatrides au monde. « Mon nom est Zeihab, j'ai grandi dans un camp de réfugiés au Liban. Comme moi, mes parents et mes sœurs sont apatrides car les territoires palestiniens ne constituent pas encore un État et le Liban n'accorde pas la citoyenneté aux réfugiés palestiniens. Il y a deux mois, j'ai trouvé du travail. Je venais de signer mon contrat quand mon employeur m'a demandé ma carte d'identité. Dès qu'il a su que je n'avais pas de papiers, il a déchiré le contrat. Je ne pouvais rien dire. L'apatridie est un obstacle pour tout : le mariage, le travail... tout. Sans citoyenneté tout est difficile. On existe physiquement mais pas en tant qu'être humain. »

Citoyen de quel pays ?

Dès sa naissance, l'enfant a aussi **droit à une nationalité** comme l'affirme l'article 15 de la Déclaration des droits de l'homme. Le droit à une nationalité est un droit fondamental qui peut prendre deux formes : le **« droit du sang »** qui donne à l'enfant la nationalité de ses parents, ou le **« droit du sol »** qui lui est octroyé par le pays dans lequel il est né, même si ses parents ont une autre nationalité. L'enregistrement d'un enfant à la naissance et l'attribution d'une nationalité le font entrer à part entière dans la société, lui donnent **une existence officielle** et feront de lui **un citoyen avec des droits et des devoirs.** Du droit à la nationalité découlent tous les autres droits : droit à l'éducation, aux soins médicaux, à l'emploi, à la protection de l'État et à la participation à la vie politique du pays avec le droit de vote...

Privés de nationalité : les apatrides

L'apatride est une personne qu'aucun État ne reconnaît comme l'un de ses citoyens. On peut être apatride **« en droit »** quand l'État auquel on appartient n'est pas reconnu par la communauté internationale – c'est le cas de la Palestine. On peut aussi être apatride **« de fait »** lorsque la demande de nationalité est rejetée par l'État auprès duquel elle est demandée. La perte du certificat de naissance peut en être la cause, de même que la **discrimination à l'encontre d'un groupe humain** auquel un État ne souhaite pas offrir la nationalité. Les enfants qui ne figurent sur aucun document administratif n'ont **aucune existence légale.** Toute leur vie d'adulte, ils souffriront de l'exclusion et ne pourront jamais prétendre à la garantie de leurs droits fondamentaux. Le Haut-Commissariat aux Réfugiés (HCR) estime à **12 millions le nombre d'apatrides dans le monde.**

La notion de dignité de la personne humaine a été introduite dans le droit international par la Déclaration universelle des droits de l'homme de 1948. Plusieurs articles rappellent que tout individu mérite qu'on le respecte, quels que soient son âge, son sexe, sa condition sociale, sa religion ou son origine ethnique.

Le droit à la dignité

De nombreux campements sont installés en périphérie des villes. La superficie des baraques varie entre 5 et 15 mètres carrés.

EXPULSION DE ROMS : L'EUROPE MISE EN CAUSE

DURANT L'ÉTÉ 2012, de nombreux gouvernements de l'Union européenne, parmi lesquels l'Italie, la France ou encore la Grèce, ont expulsé des Roms de leurs logements. Certains États les ont même poussés à quitter le pays. En 2010, la France avait déjà été condamnée pour « violation aggravée des droits de l'homme » après avoir pratiqué des expulsions « discriminatoires et contraires à la dignité humaine » car basées sur l'origine ethnique des Roms. Migrant vers l'ouest avec l'espoir d'une vie meilleure, ces populations sont mal accueillies et souvent victimes de racisme et de discrimination.

« La dignité humaine est inviolable. Elle doit être respectée et protégée. »

Considérée comme une valeur fondamentale de l'être humain, **la dignité sert de base à tous les autres droits individuels.** Un grand nombre de textes internationaux y font référence. Le préambule de la **Déclaration universelle des droits de l'homme** considère que : « la reconnaissance de la dignité inhérente à tous les membres de la famille humaine et de leurs droits égaux et inaliénables constitue le fondement de la liberté, de la justice et de la paix dans le monde [...]. L'article 1 de la Déclaration affirme que « Tous les êtres humains naissent libres et égaux en dignité et en droits. [...], et l'article 5, que « Nul ne sera soumis à la torture ni à des peines ou traitements cruels, inhumains ou dégradants. » La **Charte africaine des droits de l'homme et des peuples** reprend ce principe dans son article 5 : « Tout individu a droit au respect de la dignité inhérente à la personne humaine. »

Le bidonville de Dharavi, aux portes de Bombay (Inde) est l'un des plus vastes et des plus pauvres au monde. 600 000 personnes s'y entassent sur 200 hectares.

« Le droit d'être considéré comme un être humain. »

Les atteintes à la dignité sont multiples et concernent tous ceux dont les droits sont bafoués. **Vit-on dans la dignité quand on habite** un bidonville ? **Quand on dort dans la rue ? Quand on n'a rien à manger ?** Où est la dignité de l'enfant qui travaille comme une bête de somme, **sans jamais aller à l'école ?** Pourquoi le condamner à rester toute sa vie un citoyen de seconde rang ? Que dire du respect de l'être humain en temps de guerre, quand les règles élémentaires de la vie en société n'existent plus, quand la survie contraint les hommes et les femmes à supporter le déracinement, les camps de réfugiés, la violence sexuelle ou l'enrôlement forcé !

« Exigeons la dignité ! »

Nom d'une campagne lancée par Amnesty International, « Exigeons la dignité ! » a pour objectif de mettre en évidence que **les atteintes aux droits de l'homme engendrent la pauvreté** et maintiennent ceux qui en sont victimes dans un état de vulnérabilité. Chacun a le droit de vivre dans la dignité, de manger à sa faim, d'accéder à l'eau potable, aux soins médicaux, au logement et à l'éducation. Aucune solution à la pauvreté ne sera trouvée tant que les droits humains ne seront pas considérés comme essentiels. **La pauvreté est le résultat d'une suite de violation des droits humains.** Exiger la dignité c'est exiger que les États s'engagent à garantir à chacun une vie décente.

Teddy SDF à Las Vegas

Dans la capitale mondiale du jeu, des centaines de sans-abri vivent dans des tunnels creusés sous la ville. Invisibles des habitants et des touristes, ces sans-domiciles fixes ont perdu la plupart de leurs droits et en particulier le droit de vivre dans la dignité.

« Welcome to fabulous Las Vegas »

Incarnant le rêve américain, Las Vegas voit passer 37 millions de touristes par an et génère plus de 40 milliards de chiffre d'affaire grâce à ses casinos, ses boutiques de luxe et ses 130 000 chambres d'hôtel. Mais depuis quelques années, **la ville est touchée par la crise économique** qui frappe les États-Unis et de nombreux projets de construction d'hôtels et de salles de jeux sont restés inachevés. Les faillites d'entreprises se sont multipliées et des dizaines de milliers d'ouvriers se sont retrouvés au **chômage.** Détenant le **triste record des expulsions et des saisies de biens,** Las Vegas voit augmenter le nombre de ses citoyens vivant dans la précarité.

En marge de la société

« Mon nom, c'est Teddy mais tout le monde m'appelle Old Chap à cause de mes cheveux blancs. J'ai 49 ans et j'ai grandi ici, à Las Vegas où mon père était barman et ma mère serveuse. Moi je travaillais dans le bâtiment, on n'arrêtait pas. **Mais la crise est passée par là.** Y'avait plus d'argent pour finir le chantier et mon entreprise a fait faillite. Comme tous les copains, **j'ai été licencié.** Y'avait plus de boulot. [...] Tout a été très vite. On a vendu notre maison pour rembourser les prêts mais comme tout le monde vendait, ça ne valait plus grand-chose. On s'est retrouvé à la rue. [...] Ma femme a fini par demander le divorce et elle a obtenu la garde de nos deux enfants. Elle est partie vivre dans sa famille. [...] J'avais tout perdu. » Depuis trois ans, Teddy vit en marge de la société et a trouvé refuge dans les sous-sols de Las Vegas. « Pour vivre, **je fais la manche, je trie des ordures** dans les beaux quartiers et **je ramasse les pièces oubliées** dans les machines à sous. »

« Si les touristes ne nous voient pas, les flics nous laissent tranquilles »

Teddy s'est aménagé un coin à lui, dans un tunnel qui a été construit pour évacuer les eaux en cas de fortes pluies. Un vieux matelas posé sur des caisses de bois lui sert de lit et un container en plastique, de table de chevet. **Pas d'électricité, ni d'eau courante, pas de chauffage** non plus, mais Teddy s'est fait une raison et habite là sans vraiment se plaindre. « Ici on se débrouille comme on peut. J'ai fait une cloison avec de vieilles couvertures accrochées au plafond. Cette bassine posée sur une chaise et ce miroir : c'est ma salle de bain. Et ce caddie me sert d'armoire. [...] Plusieurs fois, j'ai failli partir mais j'ai toujours fini par revenir. Ici, c'est chez moi. »

EN FRANCE, 3.5 MILLIONS DE PERSONNES EN GRANDE PRÉCARITÉ...

... ET PLUS DE 30 000 d'entre elles vivent dans la rue ou en hébergement d'urgence. La précarité, c'est l'absence d'un certain nombre de sécurités notamment celle de l'emploi et du logement. Si elle dure trop longtemps, la précarité peut conduire à la grande pauvreté dont il est difficile de sortir et qui, aujourd'hui, touche de plus en plus souvent les femmes seules avec des enfants. Les associations d'aide aux plus démunis, comme ATD Quart-Monde, s'inquiètent du fait que la pauvreté semble s'installer durablement.

Protéger les enfants, garantir leurs droits

Il y a, aujourd'hui, plus de 2 milliards d'enfants dans le monde et 90 % d'entre eux vivent dans un pays en voie de développement. Bien qu'il existe une « Convention internationale des droits de l'enfant », les facteurs politiques, sociaux, ethniques ou religieux font que, d'un pays à l'autre, les enfants ne jouissent pas tous des mêmes droits.

La Convention internationale des droits de l'enfant

Défini comme un être humain vulnérable, l'enfant doit bénéficier d'une protection particulière afin de lui permettre de se développer physiquement et intellectuellement. **En 1959, l'ONU proclame la « Déclaration des droits de l'enfant ».** Trente plus tard, **en 1989, la « Convention internationale des droits de l'enfant » est adoptée.** Pour la première fois, des pays de cultures différentes reconnaissent aux enfants des droits universels et fondamentaux : le droit à la vie et à la dignité afin de protéger les enfants de l'esclavage et des mauvais traitements, le droit à une identité et à une nationalité, le droit à l'éducation et à la santé. Ce texte fondamental a été **signé et ratifié par presque tous les pays à l'exception de quelques-uns dont les États-Unis.** Il sera suivi par la « Convention de Genève sur les pires formes de travail des enfants ». Un protocole interdisant la participation des mineurs aux **conflits armés** et un texte dénonçant la **prostitution enfantine** et la **pornographie** viendront le compléter.

Jeune Indien employé à construire une maison.

2,2 milliards d'enfants dans le monde

Aujourd'hui, même si la situation des enfants reste préoccupante, **des progrès ont été accomplis.** Le nombre de décès d'enfants de moins de 5 ans a diminué, la scolarisation a progressé et, sur le plan sanitaire, l'accès aux soins s'est amélioré. Des mesures ont aussi été prises pour protéger les enfants du recrutement comme enfants-soldats, de la prostitution et de l'esclavage. En dépit de tous ces efforts, **la pauvreté reste le principal facteur de violation des droits de l'enfant** car elle met en danger leur droit à la vie, à la santé et à l'éducation. 1 milliard d'enfants vivent dans des conditions qui menacent leur survie et leur développement, 150 millions souffrent d'un manque de nourriture, 50 millions n'ont pas d'identité, 1 million sont en prison.

LA CHARTE AFRICAINE DES DROITS ET DU BIEN-ÊTRE DE L'ENFANT

Reprenant les principes fondamentaux de la Convention internationale des droits de l'enfant, ce texte tient compte des particularités régionales et des coutumes de la société africaine dans laquelle l'enfant a une place différente de celle qu'il tient dans les pays occidentaux.

Le taux d'alphabétisation de la population en Inde progresse, en dépit de la pauvreté qui oblige de nombreux enfants à travailler.

LES ENFANTS-SOLDATS

ILS ONT MOINS DE 18 ANS et sont enrôlés dans une armée. Recrutés dans des familles pauvres, ces enfants sont des cibles idéales pour les groupes armés. Filles ou garçons, leur témoignage est bouleversant. Ils ont tué, pillé, mutilé... Un garçon de 15 ans témoigne : «On a tué plus de trente personnes dans ce village, après on a continué dans un autre village. On ne fait pas de prisonniers, jamais.» Même si des progrès ont été faits pour libérer les enfants-soldats, des centaines de milliers d'enfants ont encore les armes à la main.

Le droit à l'éducation : la condition du développement

L'accès à l'éducation est encore un droit inaccessible pour des millions d'enfants. La pauvreté en est la cause principale. L'Afrique subsaharienne est la région la plus touchée avec plus de 32 millions d'enfants non scolarisés. L'Asie centrale et orientale a également de gros progrès à faire. Dans de nombreux pays en développement, l'argent manque pour créer des écoles et recruter des enseignants. Les classes sont surchargées et les élèves de différents niveaux mélangés. Ces mauvaises conditions de travail ont pour conséquence un taux d'échec scolaire élevé. **Certains enfants sont contraints de quitter l'école pour subvenir aux besoins de leur famille.** N'ayant pas eu le temps d'apprendre à lire, à écrire et à compter, ils se privent d'un avenir professionnel qui aurait pourtant été indispensable au développement économique de leur pays.

En marge des installations de base, la revalorisation des quartiers pauvres passe par la création d'aires de jeux et de loisirs.

Enfants des villes

Aujourd'hui, plus de la moitié des habitants de la planète vit dans les villes, soit plus d'un milliard d'enfants. En 2050, 70 % de la population vivra en milieu urbain et malgré la proximité des écoles et des services de santé, des millions de familles resteront en marge de la société sans pouvoir jouir de leurs droits à l'éducation ou à l'accès aux soins.

Les droits de l'enfant en milieu urbain

Dans de nombreux pays, **la situation des enfants pauvres est souvent pire dans les villes que dans les campagnes** en ce qui concerne leurs conditions de vie et le respect de leurs droits. Plus d'un tiers des petits citadins ne sont pas enregistrés à la naissance et **cette absence d'identité officielle a de graves conséquences.** Sans papier d'identité, impossible de prouver son âge, de bénéficier du droit à l'éducation et de tous les autres droits protégeant les mineurs. Le risque d'être considéré comme des adultes expose ces enfants au travail forcé, à la prostitution et aux dangers de la guerre. Malheureusement, la violation des droits des sans papiers passe inaperçue car **ces enfants sont invisibles au regard des sociétés** dont ils sont exclus.

Des quartiers surpeuplés

La croissance des villes est rapide et l'installation d'équipements ne parvient pas à suivre l'explosion démographique. Dans les taudis, construits à la périphérie des zones urbaines, la difficulté d'accéder à l'eau potable et à l'assainissement compromet gravement la survie et le développement des enfants. N'étant pas raccordés aux réseaux de distribution, les habitants de ces quartiers doivent aller chercher l'eau au camion-citerne. Malgré le poids des bidons, cette corvée est souvent confiée aux enfants. Vendue à un prix élevé, l'eau potable n'est pas accessible aux plus pauvres qui se contentent de récupérer les eaux usées.

Quel droit à la santé ?

La surpopulation des quartiers pauvres et l'insalubrité favorisent la transmission de maladies au premier rang desquelles : la pneumonie et la diarrhée, les deux principales causes de mortalité chez les enfants de moins de cinq ans. Moins régulièrement vaccinés que le reste de la population, les habitants de ces quartiers sont aussi particulièrement vulnérables en cas d'épidémies.

La **pollution de l'air** constitue une autre menace pour la santé de ces populations. À l'intérieur des habitations, l'utilisation de combustibles de cuisson dangereux provoque de graves intoxications. À l'extérieur, les **décharges à ciel ouvert** devenues des terrains de jeux mettent trop souvent les enfants en contact avec des produits hautement toxiques. De même, les heures passées dans les rues à mendier ou à déambuler exposent les plus jeunes à des niveaux élevés de pollution.

Dans l'État du Rajasthan (Inde), 65 % des filles sont mariées avant l'âge de 18 ans.

BATRA, MARIÉE DE FORCE À 9 ANS

B for BRIDE

46% of girls in India are child brides
This is their age to be in school not in marriage. Educate Girls takes them to school instead. Join the cause
educategirls.in

educate girls

DANS LES FAMILLES DU RAJASTHAN, au nord de l'Inde, les petites filles sont souvent mariées très jeunes. Dès que la mère de Batra aura réuni assez d'argent pour la cérémonie, elle mariera sa fille à un garçon du quartier. Elle économisera ainsi l'argent de sa nourriture et n'aura plus à se soucier de son avenir. La sœur de Batra a été mariée à 10 ans et, à 15 ans, était mère d'un enfant. Devenue une « esclave ménagère » dans sa belle famille, elle a été privée de son enfance, d'une éducation et de sa liberté.

Les enfants victimes de la violence urbaine

La criminalité et la violence touchent des centaines de millions d'enfants. **Victimes, acteurs ou témoins,** les enfants qui grandissent dans un climat de violence présentent des problèmes d'anxiété, de dépression et d'agressivité. Il n'est pas rare de voir ces enfants abandonner l'école pour rejoindre des gangs de jeunes qui commettent toutes sortes de crimes pouvant aller jusqu'au meurtre. Treize ans est l'âge moyen auquel les jeunes basculent dans la délinquance. L'**attrait de l'argent** et le **sentiment d'appartenir à un groupe** séduisent ces adolescents en manque d'avenir.

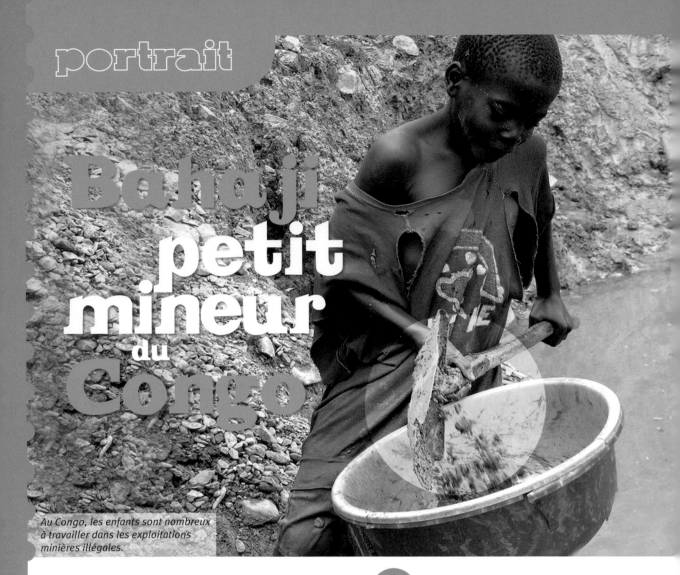

Bahaji
petit
mineur
du
Congo

Au Congo, les enfants sont nombreux à travailler dans les exploitations minières illégales.

« Je m'appelle Bahaji, j'ai 13 ans. J'ai perdu mes parents. Mon père et ma mère ont été tués et maintenant je vis chez ma tante. Ici c'est dur. C'est sale. J'aimerais tellement aller à l'école... même un peu. J'aimerais tellement sortir de là. » Bahaji vit au Kivu, au nord du Congo. Comme des milliers d'autres enfants, il travaille dans une mine de coltan.

> Nous, les grandes personnes, avons misérablement échoué à protéger les droits essentiels des enfants.
>
> **KOFI ANNAN**, ANCIEN SECRÉTAIRE GÉNÉRAL DES NATIONS UNIES, 2002.

« Quand j'étais petit, je tamisais la rivière »

Les plus jeunes n'ont que 7 ans. Du lever au coucher du soleil, ils nettoient le sable dans la rivière et le tamisent pour trouver du coltan. « Toute la journée, j'avais **les pieds dans l'eau et les mains dans la boue.** [...] Ma pelle était trop lourde pour moi mais je préférais ça plutôt que de descendre dans la mine. » Quand il était petit, Bahaji a réussi à échapper aux **boyaux étroits de la mine.** D'autres ont eu moins de chance ; le chef d'équipe les a envoyés au fond dans les passages les plus resserrés, là où les plus grands ne pouvaient pas passer. Aujourd'hui, Bahaji travaille sous terre et ses jeunes cousins ont pris sa place dans la rivière.

Au Kivu (nord du Congo), des villages connaissent une existence éphémère au cœur de la forêt, le temps d'exploiter clandestinement les produits miniers.

« Toute la journée, on remplit des sacs qu'on remonte à la surface »

Ici, pas de machines, pas de pompe à eau, les galeries creusées à flanc de colline ne sont pas étayées. « Ici c'est dangereux, surtout quand il pleut. Si la galerie s'écroule, on peut mourir enseveli et personne ne viendra nous sauver. C'est déjà arrivé. **Mais pour faire vivre ma famille, je suis obligé de travailler.** » Mieux payé que le travail agricole, le travail dans la mine permet de survivre. « Une fois dans la galerie, on travaille avec des pelles et avec nos mains. On a presque rien pour s'éclairer, juste des lampes-torches. **On creuse la terre, on casse des pierres pour avancer et trouver les bons filons.** Toute la journée, on remplit des sacs qu'on remonte à la surface. » Après avoir été extrait du sable, le coltan est transporté au village – le plus souvent par des femmes – où le minerai est acheté par un petit intermédiaire qui le revendra ensuite à un gros négociant.

Un travail à hauts risques...

Les mineurs travaillent sans protection : pas de casque, pas de lunettes, pas de masque. Au fil des années, des irritations de la peau et des yeux apparaissent, et les problèmes respiratoires provoqués par la poussière s'aggravent rapidement. Aux dangers de l'extraction, s'ajoutent la **consommation d'alcool et de drogue comme le cannabis qui aide à tenir** et donne du courage pour affronter la mine. À long terme, les effets néfastes de ces substances nuisent gravement à la santé.

Le coltan : un minerai stratégique

Composé de deux minerais associés, la colombite et la tantalite, **le coltan est présent dans de nombreux composants électroniques et plus particulièrement dans les téléphones portables et les consoles de jeux.** Le Congo détient près de 70 % des réserves mondiales de coltan. Le Brésil et l'Australie possédant le reste. Malheureusement, l'État congolais ne contrôle pas le commerce du coltan qui est aux mains des chefs de guerre et les **énormes bénéfices** réalisés par la vente de ce minerai – deux à trois fois plus rentable que l'or – ne profitent pas à **la population du pays qui vit dans la misère.**

À QUI PROFITE LE COLTAN ?

POUR FINANCER LA GUERRE, les groupes armés qui contrôlent illégalement les mines de coltan vendent ce minerai à des intermédiaires qui le revendent ensuite à des entreprises internationales. Dans un récent rapport, les Nations unies dénoncent le lien entre la production de coltan et la poursuite de ce conflit qui a déjà fait plus de quatre millions de morts. Il est de plus en plus souvent affirmé que l'argent permet aux chefs de guerre d'acheter des armes. Comment ne pas s'interroger sur la part de responsabilité des grandes entreprises internationales ?

Si les femmes disposent aujourd'hui de droits dont elles étaient encore privées il n'y a pas si longtemps, les discriminations et les violences à leur égard demeurent pourtant la règle dans de nombreux pays. En dépit de la mobilisation internationale, les femmes voient encore trop souvent leurs droits contestés et leurs vies mises en danger.

Ces jeunes Égyptiennes viennent de voter, le 28 novembre 2011, comme le prouvent leurs index marqués d'encre.

Quels **droits** pour les **femmes** au XXIe siècle?

Encore trop d'inégalités

Partout dans le monde, les droits des femmes progressent. Néanmoins, ces progrès demeurent inégaux et **l'égalité avec les hommes est loin d'être atteinte.** Quelques chiffres en témoignent : **70 % des pauvres dans le monde sont des femmes ;** 75 % des réfugiés et des personnes déplacées sont des femmes qui ont tout perdu ; chaque minute, une femme meurt pendant sa grossesse ou son accouchement faute d'accès aux soins ; une femme sur trois ne sait pas lire ; près des deux tiers des femmes qui travaillent ont un emploi précaire. Ces chiffres ne sont pas le fait de la malchance ou du hasard. **Dans de nombreux pays, les discriminations à l'égard des femmes sont inscrites dans les lois nationales.** Bafouant leur dignité mais aussi leurs droits civils et politiques, ces lois font des femmes des citoyennes de second rang : moins de 10 % des dirigeants mondiaux sont des femmes et moins d'un parlementaire sur cinq est une femme.

L'APPEL DES FEMMES ARABES

PENDANT LES RÉVOLUTIONS ARABES, **les femmes étaient partout : dans les manifestations, sur les réseaux sociaux...** Mais à l'heure du bilan, qu'ont-elles obtenu ? «Nous, femmes arabes impliquées dans les luttes pour la démocratie, actrices au premier plan des changements exceptionnels que connaît le monde arabe, tenons à rappeler que les femmes sont en droit de bénéficier, au même titre que les hommes, du souffle de liberté qui gagne cette région du monde. [...] Les codes de la famille ne sont dans la plupart des pays arabes que des textes instituant l'exclusion et la discrimination. Ces lois violent les droits les plus élémentaires des femmes et des fillettes par l'usage de la polygamie, le mariage des mineures. [...] Aucune démocratie ne peut se construire au détriment de la moitié de la société.

APPEL DES FEMMES ARABES POUR LA DIGNITÉ ET L'ÉGALITÉ, JOURNÉE DE LA FEMME, 8 MARS 2012

Comme autrefois dans les pays occidentaux, les femmes occupent majoritairement les emplois ruraux et industriels peu qualifiés dans les pays émergents.

Le travail : haut lieu de la discrimination des femmes

Les femmes accomplissent 66 % du travail dans le monde mais elles ne perçoivent que 11 % du revenu mondial et ne possèdent que 1 % de terres. La discrimination prend différentes formes : exclusion de certains emplois, inégalité de salaire avec les hommes, lente évolution professionnelle. Une chef de projet américaine témoigne : « Quand je suis en déplacement dans certains pays étrangers, je m'aperçois que mes collègues masculins ont plus de crédibilité que moi. Juste parce que je suis une femme. **Dans la plupart des pays, les femmes ne représentent pas l'autorité ou le pouvoir de décision.** Je suis donc considérée comme une assistante alors que c'est moi qui vais décider si le projet se fera ou non. Il faut donc que je travaille deux fois plus pour asseoir ma crédibilité. »

Halte à la violence !

La violence qui s'exerce contre les femmes demeure l'une des violations des droits humains les plus fréquentes et l'un des crimes les moins condamnés. Craignant de subir des représailles ou d'être jetées à la rue, **il est fréquent que les femmes victimes de violences conjugales ne dénoncent pas leurs maris.** Aujourd'hui, plus de 600 millions de femmes vivent dans des pays où il n'existe pas de protection juridique contre la violence domestique. Leur sécurité est évidemment encore plus menacée en cas de guerre. Ce triste constat touche aussi l'Europe. Malgré l'adoption de la « Convention sur la prévention et la lutte contre la violence à l'égard des femmes », en France, par exemple, **une femme meurt tous les trois jours victime de violences conjugales.**

Affiche de soutien aux trois jeunes femmes russes, du groupe rock Pussy Riot, condamnées à deux ans de prison en août 2012 pour avoir critiqué la politique de Vladimir Poutine.

Symbole de la lutte pour les droits de la femme et l'éducation des filles, la Pakistanaise Malala Yousafzai est victime en 2012 d'un attentat perpétré par les talibans.

Depuis la création de l'État d'Israël, les femmes sont très nombreuses dans les rangs de Tsahal, l'armée nationale.

Victimes ou combattantes les femmes dans la guerre

Les conflits actuels sont très souvent des guerres internes qui opposent divers groupes ethniques ou politiques à l'intérieur d'un pays. La guerre « chez soi » a de terribles conséquences sur les populations civiles et sur les femmes en particulier et il est aujourd'hui urgent que les États s'engagent à faire respecter la dignité et le droit des femmes, en temps de guerre.

Prises au piège des combats

« Attaquer et bombarder la population civile, causant ainsi des souffrances indicibles, spécialement aux femmes et aux enfants qui constituent la partie la plus vulnérable de la population, est interdit et de tels actes seront condamnés. » Malgré la déclaration de l'ONU sur la protection des femmes et des enfants en période d'urgence et de conflit armé, **les femmes continuent à subir toutes sortes de violences quand éclate une guerre.** Poussées par la peur, un grand nombre de femmes fuient avec leurs enfants et viennent grossir le nombre des réfugiés. Quand elles décident de rester vivre à proximité des zones de combats, les femmes doivent prendre la place du chef de famille et assurer les soins et la nourriture des plus jeunes et des plus âgés. Aller chercher de l'eau

peut devenir dangereux, de même que s'occuper des cultures ou du bétail. Les femmes restées seules sont parfois contraintes d'héberger des soldats au risque de subir des représailles du camp adverse. Une femme du Salvador témoigne : « C'était terrible, parce que si on ne vendait pas des tortillas aux guérilleros, ils se fâchaient, et si on n'en vendait pas aux soldats, ils se fâchaient. Il fallait donc collaborer avec les deux camps. »

Les femmes-soldats

Loin de l'image de la femme vulnérable, les femmes combattantes peuvent jouer un rôle important dans un conflit. **Enrôlées de leur plein gré ou victimes d'enlèvements,** elles reçoivent pour mission d'infiltrer les rangs ennemis, de transporter des explosifs et, s'approchant plus facilement des cibles, de participer aux attentats suicides. Elles jouent un rôle essentiel dans le réconfort moral des combattants et assurent l'intendance. Comme les hommes, les femmes militaires sont protégées par les **Conventions de Genève** qui veillent au bon traitement des combattants et des prisonniers de guerre, elles bénéficient aussi de droits spécifiques afin de préserver leur dignité et d'assurer leur sécurité.

Le viol comme arme de guerre

La guerre en Bosnie-Herzégovine a révélé au monde que le viol pouvait devenir une arme de guerre. Au même titre que la prostitution forcée ou l'esclavage sexuel, **le viol peut être considéré comme un crime de guerre.** Qu'il soit utilisé **pour montrer qui est le plus fort** ou **pour «récompenser» les soldats victorieux,** il est une arme redoutable à laquelle les armées ont recours quand elles décident de procéder au **nettoyage ethnique** ou à l'anéantissement d'un peuple. Les victimes, irrémédiablement souillées, ont peur de raconter ce qu'elles ont vécu, craignant d'être rejetées par leur famille ou par leur communauté.

TROIS FEMMES PRIX NOBEL DE LA PAIX

EN 2011, LE PRIX NOBEL DE LA PAIX a été attribué à trois femmes, Tawakkul Karman, une figure emblématique du Printemps arabe au Yémen, Ellen Sirleaf, présidente du Libéria et Leymah Gbowee, elle aussi libérienne. Elles ont été récompensées pour leur lutte non violente pour la sécurité des femmes et la défense de leurs droits. Leur combat en faveur de la participation des femmes aux processus de paix a aussi été salué par le comité Nobel.

> C'est probablement plus dangereux d'être femme qu'être soldat dans un conflit armé.
>
> **PATRICK CAMMART,** EX-COMMANDANT DE LA MISSION DES NATIONS UNIES EN RÉPUBLIQUE DÉMOCRATIQUE DU CONGO.

Un groupe armé investit un village africain. Les femmes ont tout à craindre du sort qui leur sera réservé.

Comme Fozilatun Nessa, la Pakistanaise Rukhsana est victime d'une attaque à l'acide (photo du film *Saving Face*, 2012).

Fozilatun Nessa victime d'un crime d'honneur

« Ils sont venus me jeter de l'acide au visage »

Les attaques à l'acide tuent rarement mais elles laissent les victimes défigurées et profondément traumatisées. Les jeunes filles qui en sont victimes paient très cher le **rejet d'une demande en mariage** ou le **refus de vivre conformément aux traditions de leur communauté.** Fozilatun Nessa témoigne : « J'avais 16 ans quand mon voisin m'a demandée en mariage. Un autre homme du village m'a également demandée. J'ai refusé les deux, et ensemble ils sont venus me jeter de l'acide au visage. » Transportée à l'hôpital de Dacca pour y être soignée, Fozilatun a été rejetée par sa famille qui ne voulait pas qu'elle dénonce un de ses agresseurs, proche parent et homme important du village.
Au **Pakistan,** on compte, chaque année, plus d'une centaine de victimes de l'acide. **Inde, Bangladesh, Afghanistan et Cambodge** sont aussi très touchés par ce phénomène.

Fozilatun Nessa vit au Bangladesh. Elle a 16 ans quand une attaque à l'acide lui brûle le visage et la laisse défigurée. Cet acte violent qui consiste à jeter de l'acide au visage d'une femme appartient à la catégorie des « crimes d'honneur », qui punissent celles qui revendiquent leur droit à vivre libres.

LES « CRIMES D'HONNEUR »

ACTES DE VIOLENCE, **pouvant aller jusqu'au meurtre, les « crimes d'honneur » sont en général commis par des hommes contre des femmes. Mettant soi-disant en cause l'honneur d'une famille, certains actes comme le refus d'un mariage arrangé ou la volonté de divorcer justifient ces actes de violence. Connus au Pakistan, en Turquie ou en Inde, les « crimes d'honneur » existent aussi en Europe où des jeunes femmes paient très cher leurs fréquentations, leur façon de s'habiller ou leur refus de se marier.**

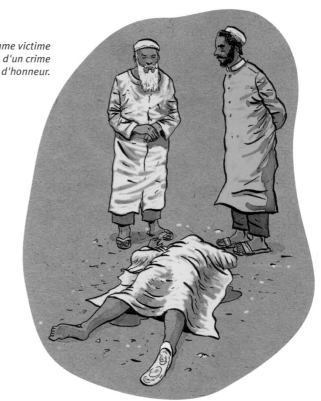

Femme victime d'un crime d'honneur.

Fondation pour les survivants des attaques à l'acide

Fozilatun a été une des premières victimes à être prise en main par la Fondation pour les survivants des attaques à l'acide. Monira Rahman, la directrice de la fondation, explique : «Il leur faut un traitement médical, une aide psychologique, être acceptées par la société, retrouver une indépendance économique et obtenir en justice la condamnation des coupables. **Alors, seulement, les victimes peuvent retrouver leur dignité.** »

Aujourd'hui, Fozilatun a trouvé du travail dans une société de téléphonie mobile et elle est devenue une militante active pour la cause des femmes victimes de l'acide. Elle a aussi renoué avec sa famille : «Quand ils ont vu qu'elle avait retrouvé une indépendance économique et qu'elle avait fait face, elle a regagné leur respect ». Mais Fozilatun Nessa reste une exception. Seules 3 500 victimes ont été recensées par l'association depuis sa création en 1999, ce qui laisse penser que **beaucoup de femmes gardent le silence sur ce qui leur est arrivé.**

Condamné à six ans de prison...

Sous la pression des associations locales et des ONG internationales, **le Bangladesh a voté une loi, en 2002, pour punir les auteurs d'attaques à l'acide.** Fozilatun Nessa a alors déposé plainte contre ses agresseurs. L'un d'eux a fui le pays pour échapper aux poursuites, l'autre a été condamné à six ans de prison. Libéré après quelques années de détention, il menace à nouveau la jeune femme et sa famille.

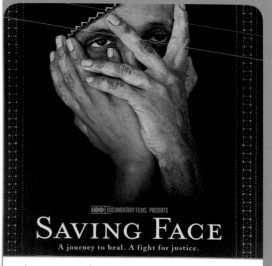

UN OSCAR POUR *SAVING FACE*

HBO DOCUMENTARY FILMS. PRESENTS

SAVING FACE

A journey to heal. A fight for justice.

RÉCOMPENSÉ PAR UN OSCAR en 2012, *Saving face* est un court-métrage documentaire pakistanais présentant le travail acharné d'un chirurgien qui opère les femmes victimes de jets d'acide. Relayée par le site internet du film, une campagne est lancée afin de renforcer encore la législation contre les auteurs de ces crimes mais aussi de fixer des normes de responsabilité pour les fabricants d'acides.

La Liberté de la presse : un fondement de la démocratie

« Reporters sans frontières » sur le terrain

La liberté d'information, d'opinion et d'expression est une des libertés fondamentales de l'être humain et l'un des socles de la démocratie. La liberté de la presse en est l'un des aspects les plus visibles.

Chaque année, *Reporters sans frontières* publie le classement mondial de la liberté de la presse. Dans son dernier bilan, l'ONG recense plusieurs régions du globe dans lesquelles les journalistes sont mis en danger par des régimes autoritaires ou par l'éclatement de conflits : le **Moyen-Orient,** tout d'abord, où une vingtaine de reporters ont trouvé la mort depuis 2011, l'**Amérique latine,** ensuite, avec, là aussi, une vingtaine de tués, le **Pakistan** qui détient le triste record d'assassinats de journalistes, enfin, la **Chine,** l'**Iran** et l'Érythrée qui demeurent les plus grandes prisons du monde pour la presse. Citons aussi la terreur qui règne au **Nigéria,** les persécutions en **Azerbaïdjan** et le contrôle des médias en **Corée du Nord.**

L'ANNÉE 2012 EN CHIFFRES

- 37 journalistes tués
- 27 net-citoyens et journalistes-citoyens tués
- 152 journalistes emprisonnés
- 128 net-citoyens emprisonnés

À Kabul (Afghanistan), un soldat tente d'empêcher la presse de s'approcher du site d'un attentat.

Les manifestants de la place Tahrir, au Caire, réclament le départ du président égyptien Moubarak, qu'ils obtiendront le 11 février 2011.

Le « Printemps arabe » à la Une

Depuis 2011, une attention toute particulière est portée sur les pays arabes en proie à une forte agitation politique. En décembre 2010, un mouvement de contestation éclate en Tunisie contre le régime du président Ben Ali, contraint à quitter le pouvoir. Cette mobilisation populaire gagne ensuite l'Égypte et la Lybie, le Yémen et la Syrie. Baptisées « Printemps arabe », ces révolutions et les mouvements contestataires qu'elles ont inspirés dans d'autres régions du monde ont provoqué une **forte augmentation des arrestations de journalistes.** Quelques mois après la chute des dictatures, la situation de la presse a semblé s'améliorer : la plupart des journalistes ont été libérés et de nouveaux journaux ont vu le jour... Bien que la Tunisie se soit dotée d'une nouvelle constitution et d'une loi sur la liberté de la presse, **la censure est toujours présente** et aujourd'hui, **rendre leur liberté aux médias semble indispensable pour accompagner les révolutions.**

L'Europe ? Peut mieux faire !

La liberté de la presse n'est pas menacée que dans les États totalitaires ou les zones de conflit. En Europe, aux États-Unis, au Canada... cette liberté est aussi mise en danger par la **concentration des médias dans les mains de groupes économiques très puissants.** Cette pratique provoque inévitablement un contrôle de l'information et la diminution de la pluralité des points de vue. Comment un citoyen peut-il se construire une opinion si la plupart des médias auxquels il a accès diffusent les mêmes informations et les mêmes analyses de l'actualité ?
En Hongrie, par exemple, une nouvelle loi sur la presse place tous les médias sous l'autorité d'un « **Conseil des médias** » autorisé à **sanctionner les propos qui déplairaient à Viktor Orban,** le chef du gouvernement. En France, on peut regretter que **les sources des journalistes** ne soient pas suffisamment protégées et soient utilisées, contrairement à la règle, dans le cadre d'enquêtes judiciaires. Bref, les démocraties européennes ne sont pas à l'abri de dérapages en matière de liberté de la presse.

Internet :
une liberté
sans limites ?

> S'ils sont à ce point pourchassés, c'est bien parce que les net-citoyens sont devenus indispensables au processus de collecte de l'information.
>
> **DOMINIQUE GERBAUD,** PRÉSIDENT DE REPORTERS SANS FRONTIÈRES, 2012

On peut fermer un journal ou une radio, mais il est impossible de bloquer complètement Internet. Même si certains États tentent l'impossible pour limiter la diffusion d'informations en ligne, les blogueurs et les net-citoyens s'organisent pour contourner la censure. Aujourd'hui, la liberté d'information sur le web est devenue un enjeu majeur de politique intérieure et extérieure d'un pays.

La longue liste des « ennemis d'internet »

Cette année, Reporters sans Frontières recense **une quarantaine de pays qui limitent l'accès au web.** Pour l'ONG, une douzaine d'entre eux sont mêmes de véritables « ennemis d'internet ». En voici la liste dressée par RSF : Arabie Saoudite, Bahreïn, Belarus, Chine, Corée du Nord, Cuba, Iran, Ouzbékistan, Syrie, Turkménistan, Vietnam, Birmanie – pour ce pays la situation s'améliore un peu avec l'assouplissement du régime. **Les blogueurs et les net-citoyens sont devenus des sources d'information indispensables** dans les pays où la presse est muselée. Ils constituent aussi d'efficaces **relais de mobilisation** de la rue quand la population veut manifester son opposition à l'État. Redoutant les effets de contagion de ce nouveau média, les « ennemis d'internet » n'hésitent pas à harceler, à emprisonner et même à assassiner les blogueurs les plus actifs.

RADIOS LIBRES EN CORÉE DU NORD

Prenant des risques considérables, y compris celui d'être exécutés, les net-citoyens de Corée du Nord envoient des informations en Corée du Sud. Grâce aux radios comme *Free North Korea,* les journalistes installés à Séoul contournent la censure et retransmettent vers la Corée du Nord, ouvrant quelques brèches dans la propagande incessante du régime de Pyongyang.

Partout, on dénonce « la Grande Muraille pare-feu de Chine », une censure d'Internet qui bloque accès et contenus et « piste » les internautes.

MAKE
YOURSELF
HEARD
STOP CHINESE CENSORSHIP
STOPCHINESECENSORSHIP.COM

La Chine : une grande prison pour les net-citoyens

La croissance fulgurante des réseaux sociaux inquiète le gouvernement chinois. Et pourtant, **le système de filtrage du pays est l'un des plus performants du monde.** Craignant un effet de contagion des révolutions arabes, **la surveillance et la répression se sont intensifiées :** arrestations de blogueurs et de net-citoyens, interdiction d'utiliser des pseudonymes et obligation pour les fournisseurs de réseaux wifi d'installer un logiciel de traçage des internautes. La plupart des références au « Printemps arabe » ont été supprimées de l'internet chinois et plus de 200 mots parmi lesquels « Tunisie » ou « Égypte » ont été interdits.

Blogueurs et révolutions arabes

Les **net-citoyens** ont été, ces dernières années, au cœur des changements politiques qui ont touché le monde arabe. Bravant la censure, ils ont parfois payé le prix fort pour **contrer la propagande officielle et informer en temps réel** de ce qui se passait dans leur pays. Depuis les premières heures des soulèvements, ils ont travaillé jour et nuit pour recueillir des informations. Traduites en anglais, elles ont ensuite été diffusées sur Internet et en particulier sur Facebook. **L'émergence des réseaux sociaux est spectaculaire** en Tunisie. En 2008, on comptait 28 000 utilisateurs de Facebook, plus d'un million en février 2010 et plus de 2,5 millions en décembre, quand éclataient les premières émeutes.

Alors qu'en Syrie, RSF fait passer des ordinateurs cryptés et des clés USB protégées pour aider les blogueurs à transmettre leurs informations avec un maximum de sécurité, dans le même temps, Européens et Américains vendent au gouvernement syrien des logiciels qui permettent de mettre Internet sous surveillance. Est-ce bien là le rôle que devraient jouer les démocraties occidentales ?

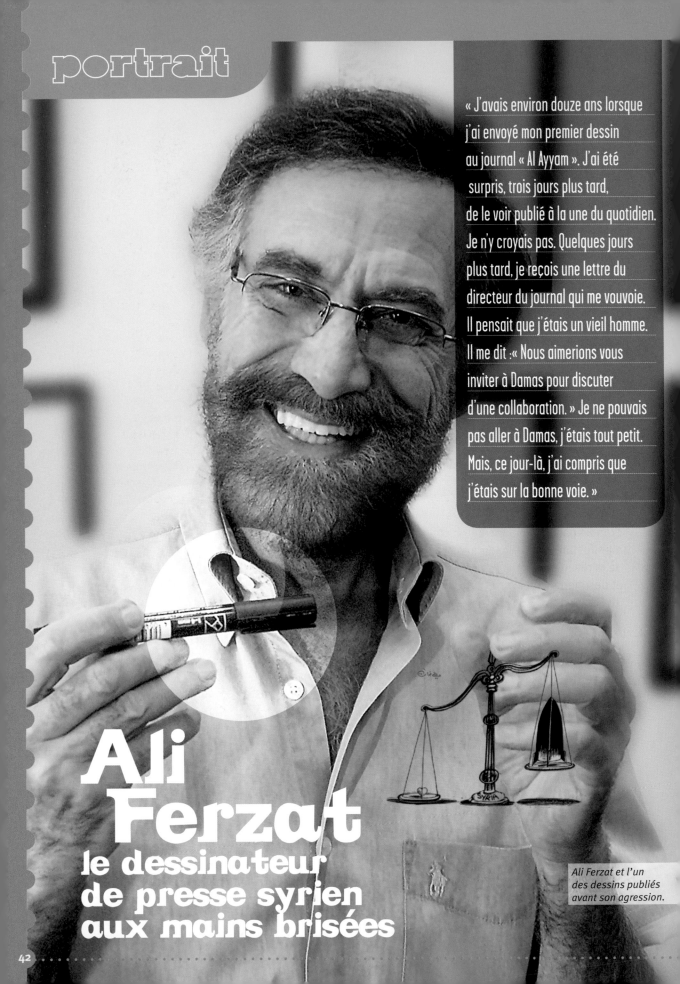

« J'avais environ douze ans lorsque j'ai envoyé mon premier dessin au journal « Al Ayyam ». J'ai été surpris, trois jours plus tard, de le voir publié à la une du quotidien. Je n'y croyais pas. Quelques jours plus tard, je reçois une lettre du directeur du journal qui me vouvoie. Il pensait que j'étais un vieil homme. Il me dit :« Nous aimerions vous inviter à Damas pour discuter d'une collaboration. » Je ne pouvais pas aller à Damas, j'étais tout petit. Mais, ce jour-là, j'ai compris que j'étais sur la bonne voie. »

Ali Ferzat
le dessinateur de presse syrien aux mains brisées

Ali Ferzat et l'un des dessins publiés avant son agression.

Un caricaturiste aux côtés du peuple syrien

En 1994, le magazine *Time* nomme Ali Ferzat meilleur caricaturiste défenseur des libertés dans le monde. Fort d'une notoriété croissante, il accentue ses critiques contre la situation politique dans son pays et dans les autres dictatures. Bien décidé à utiliser son talent pour aider son peuple à dénoncer les dérives du pouvoir en place, Ferzat veut avant tout lui donner le courage de revendiquer le droit à s'exprimer librement. En 2001, le gouvernement l'autorise à créer un journal indépendant *Al-Domari* (« L'Allumeur de réverbère »). Il en fait une revue satirique que les autorités ne tarderont pas à interdire après avoir traîné ses journalistes devant la justice. Ali Ferzat publie alors ses dessins sur son site internet puis sur les réseaux sociaux, caricaturant avec toujours plus de détermination le régime de Bachar el-Assad, le président syrien. Largement partagés sur Facebook, ses dessins sont brandis par la foule lors des premières manifestations qui marquent le début de la révolte. En dépit des intimidations et des menaces de mort qu'il reçoit, Ali Ferzat décide de continuer à dessiner.

« Les policiers d'Assad m'ont brisé les mains pour m'empêcher de dessiner... »

Le 26 août 2011, Ali Ferzat sortait de son domicile quand il a été agressé par un groupe d'hommes masqués qui l'ont tabassé. Abandonné au bord de la route, il a été emmené à l'hôpital par des passants. Le caricaturiste avait les doigts et le bras droit fracturés, un début d'hémorragie et l'œil gauche très abimé. Le matin de son agression, il avait mis en ligne une caricature virulente de la justice syrienne. C'était sans doute le dessin de trop ! Un dessin qui montrait Ali Ferzat sur son lit d'hôpital a fait le tour

LES RISQUES DU MÉTIER...

Dans certains pays, le dessin de presse est mis sous haute surveillance et les caricaturistes ont le choix entre se plier à la censure, s'exiler ou continuer à dessiner librement quitte à mettre leur liberté ou leur vie en danger. Le 20 mars 2011, le Libyen Kais al-Hilali a été abattu par un *sniper* en pleine rue alors qu'il peignait un portrait de Kadhafi sur un mur de Benghazi. L'Algérien Dilem, auteur de 10 000 caricatures en vingt ans, de carrière est accusé de diffamation dans plus de 50 procès. Le harcèlement judiciaire est devenu une nouvelle forme de censure.

Dessin de Michel Kichka

du web et les messages de soutien ont afflué. Quelques mois plus tard, le caricaturiste a reçu le Prix Sakharov pour la liberté de pensée en même temps que quatre autres militants du « Printemps arabe ». Aujourd'hui, les mains d'Ali vont mieux et il peut de nouveau dessiner. Installé au Koweït, il poursuit son combat aux côtés des insurgés et continue de dénoncer les crimes commis par la Syrie.

Une justice équitable : un droit fondamental

Toute personne a droit à ce que sa cause soit entendue équitablement et publiquement par un tribunal compétent, indépendant et impartial [...], à avoir l'assistance d'un défenseur de son choix [...].

Pacte international relatif aux droits civils et politiques adopté par l'ONU en 1966, article 14.

L'idée que tous les hommes sont égaux devant la loi et que la justice doit s'exercer indépendamment du pouvoir politique et sans aucune forme de discrimination constitue la base d'une justice équitable. Mais le droit à l'équité ne s'arrête pas là. Il inclut aussi le droit d'être condamné à une peine proportionnée au délit commis et celui de bénéficier de conditions de détention qui préservent le détenu de la torture et des mauvais traitements.

Défendre une justice indépendante et impartiale

Pour que la justice s'exerce dans l'intérêt de tous les citoyens, les États doivent adhérer à certains principes comme **la présomption d'innocence de l'inculpé,** la comparution de l'accusé devant **un tribunal impartial** et évidemment **le droit à se défendre.** Il est aussi indispensable que la justice soit indépendante et que la règle démocratique qui consiste à séparer le pouvoir judiciaire du pouvoir politique soit respectée.

Dans de nombreux pays, les traditions religieuses et les coutumes locales pèsent sur la justice au point de la priver des principes garantissant l'équité. Les **aveux sous la torture** sont fréquents et la **peine de mort** trop facilement appliquée aux personnes vulnérables ou indésirables.

Là où la défense
n'a plus la parole

ASF NETWORK

Avocats sans frontières

Œuvrant pour une justice plus équitable, *Avocats sans frontières* travaille chaque jour pour que les plus démunis aient eux-aussi accès à la justice. L'ONG aide ainsi les enfants soldats, les victimes de la prostitution, les femmes violées... Aujourd'hui, ASF est implantée au Burundi, en Colombie, en République Démocratique du Congo, en Israël, en Palestine, en Ouganda, au Népal, au Rwanda et au Tchad. Aux côtés des acteurs locaux, **elle forme des avocats, apporte une aide juridique gratuite** aux populations et organise des tribunaux mobiles qui se déplacent jusqu'aux régions les plus reculées. *Avocats sans frontières* **représente aussi les victimes** devant les juridictions internationales, comme la Cour Pénale internationale qui juge les personnes coupables de génocide et de crimes de guerre.

Session de formation juridique organisée par la mission de l'ONU au Darfour, à l'intention des magistrats locaux.

Défendre les défenseurs : avocats en danger

En 1990, les Nations Unies ont dressé une liste de garanties devant **protéger les avocats dans l'exercice de leur fonction.** En aucun cas, les professionnels du droit ne doivent être assimilés à l'accusé qu'ils défendent, ils doivent travailler sans entrave et leur liberté d'expression doit être respectée. En dépit de ces précautions, chaque jour des avocats sont menacés, emprisonnés, torturés, assassinés. En Turquie, par exemple, une quarantaine d'avocats d'origine kurde ont été accusés d'« appartenance à une organisation terroriste » en raison de leur engagement dans la défense d'Abdullah Ocalan, le leader du parti kurde, PKK.

AU-DESSUS DES ÉTATS : LA COUR EUROPÉENNE DES DROITS DE L'HOMME

Toute personne qui s'estime lésée par un État peut s'adresser à la Cour européenne des droits de l'homme qui siège à Strasbourg. Pour déposer une requête auprès de la Cour, il faut avoir épuisé toutes les procédures en vigueur dans le pays où la violation des droits de l'homme a été commise. Très variées, les plaintes concernent les droits des détenus, la législation relative aux homosexuels, la liberté de la presse, les expulsions... Les condamnations ont avant tout un impact symbolique fort mais elles peuvent être assorties de réparations financières.

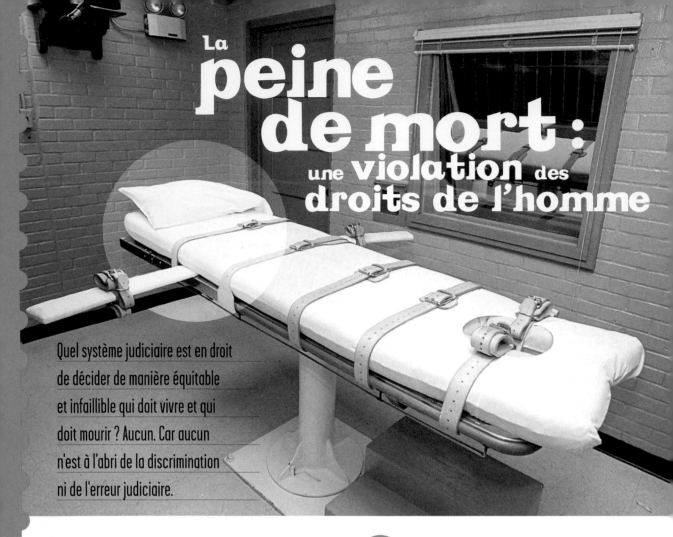

La peine de mort : une violation des droits de l'homme

Quel système judiciaire est en droit de décider de manière équitable et infaillible qui doit vivre et qui doit mourir ? Aucun. Car aucun n'est à l'abri de la discrimination ni de l'erreur judiciaire.

« Un meurtre commis par l'État avec préméditation et de sang-froid » (Amnesty International)

« Tout individu a droit à la vie et à la sûreté de sa personne » (art. 3) ; « Nul ne sera soumis à la torture, ni à des peines ou traitements cruels, inhumains ou dégradants » (art. 5). Voilà ce que proclame la Déclaration universelle des droits de l'homme et il ne fait aucun doute que la peine de mort est en contradiction avec ces principes. Non seulement il s'agit d'une atteinte à la vie mais les longues années d'attente dans les couloirs de la mort sont assimilables à un traitement inhumain. Aucun État ne devrait donc s'arroger le droit de condamner une personne à mort. On sait aujourd'hui que la peine de mort n'est pas dissuasive et ne fait pas baisser la criminalité.

Les pays-bourreaux

Aujourd'hui, plus des deux tiers des pays ont aboli la peine de mort ou ne la pratiquent plus. Parmi les pays non-abolitionnistes, la Chine, l'Iran, l'Irak, l'Arabie saoudite, le Yémen et les États-Unis procèdent encore à de nombreuses exécutions. En Iran, la liste des crimes punis de la peine capitale est longue : trafic de drogue, offense à Dieu, adultère... Au Pakistan, la mort sanctionne le blasphème, en Arabie saoudite, la sorcellerie, en République du Congo, le trafic d'ossements humains... Ni les femmes, ni les mineurs au moment des faits n'échappent à ce châtiment qui prend la forme de pendaisons, de lapidations, d'exécutions par balle et se déroule parfois en public... Trop souvent, les accusés ne bénéficient pas de procès équitables et sont condamnés après des aveux recueillis sous la torture.

Démocratie et peine de mort : le cas des États-Unis

Les États-Unis qui sont, avec l'Inde et le Japon, une des grandes démocraties à n'avoir pas aboli la peine de mort, se placent au **5e rang mondial en nombre d'exécutions.** La tendance est pourtant à l'abolition et à la diminution du nombre des mises à mort commuées en prison à vie. Il est vrai que les erreurs judicaires ne sont pas rares et qu'en 20 ans près de cent personnes condamnées à mort ont été disculpées. Les États-Unis sont aussi montrés du doigt pour la **surreprésentation des Afro-américains** dans les couloirs de la mort. Statistiquement, un Noir qui a tué un Blanc a beaucoup plus de risques d'être exécuté qu'un Blanc qui a tué un Noir.

Les défenseurs des droits de l'homme dénoncent enfin les longues années que les condamnés passent à attendre leur exécution. Variables d'un État à l'autre, les conditions de détention sont particulièrement dures au Texas où **le détenu est maintenu dans l'isolement** : deux communications téléphoniques par mois, visites rares, lectures censurées. **Les condamnés attendent entre 12 et 20 ans leur exécution.**

TROY DAVIS, 20 ANS DANS LES COULOIRS DE LA MORT

Le 21 septembre 2011, Troy Davis est exécuté par injection létale dans un pénitencier de Géorgie, aux États-Unis. Ce jeune Afro-américain n'a que 22 ans quand il est condamné à mort pour le meurtre d'un policier. Il sera exécuté 20 ans plus tard, sans avoir jamais cessé de clamer son innocence. À travers le monde, sa cause a mobilisé des milliers de personnes qui ont dénoncé une enquête bâclée, l'absence de preuves matérielles et une défense incompétente. Aujourd'hui, Troy Davis est devenu un symbole pour les abolitionnistes américains.

Demain, grâce à vous la justice française ne sera plus une justice qui tue. [...] Demain, vous voterez l'abolition de la peine de mort.

ROBERT BADINTER, MINISTRE DE LA JUSTICE, QUI A FAIT VOTER L'ABOLITION DE LA PEINE DE MORT EN FRANCE, DISCOURS À L'ASSEMBLÉE NATIONALE, 1981.

La Chine est le pays qui exécute le plus de condamnés dans le monde. Au moins 2 000 exécutions ont eu lieu en 2012.

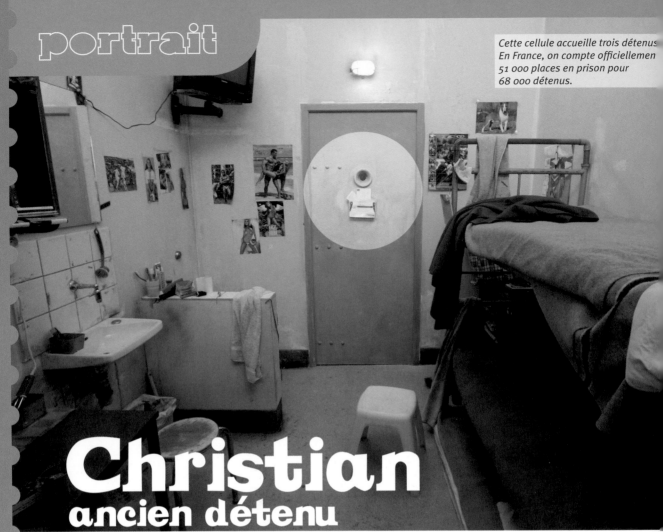

Cette cellule accueille trois détenus. En France, on compte officiellement 51 000 places en prison pour 68 000 détenus.

Christian
ancien détenu
dans une prison française

MAISONS D'ARRÊT ET PRISONS

Les maisons d'arrêt sont des établissements où les détenus attendent d'être jugés ou effectuent des peines de courte durée. Dans ce type d'établissement, la surpopulation peut être très élevée : deux ou trois fois plus de détenus que de places disponibles. Les prisons ou centres pénitentiaires accueillent les détenus purgeant de longues peines. En théorie, les conditions de détention y sont meilleures.

« 22 octobre 1995, la porte se referme. En un instant, je perds mon identité, ma condition de citoyen, mon utilité pour ma famille et pour la société. Un nouveau monde s'ouvre à moi et je n'en connais pas les codes. En prison, vous n'avez pas d'espace à vous, pas de lieu ni de moments où être seul avec vous-même, la prison est un univers où les télévisions restent allumées en permanence, les détenus hurlent et tambourinent sur les portes. Quand j'ai fini par en sortir, j'étais épuisé, abruti... »

Surpopulation : le mal des prisons françaises

Christian a été incarcéré dans plusieurs prisons françaises. Il a connu les dortoirs à 25 et les cellules de 9 m² prévues pour trois mais où les détenus s'entassent à quatre ou cinq avec des matelas par terre. **Dans un espace aussi petit, la surpopulation provoque une tension permanente** : « S'il y en a un qui veut regarder le match et l'autre un film, s'il y en a un qui veut dormir et pas l'autre, tout de suite le ton monte. [...] Il y a toujours quelqu'un qui bouge. Le mouvement est perpétuel, 24 heures sur 24. Il y a ceux qui craquent... qui n'en peuvent plus... et puis un jour, il y en a un qui se suicide. » En 2011, la Cour européenne des droits de l'homme a condamné la France pour avoir fait subir à des détenus des conditions de détention dégradantes et des fouilles corporelles injustifiées et humiliantes.

« Malheur à celui qui n'a pas les moyens de cantiner... »

Cantiner, c'est s'acheter de quoi améliorer l'ordinaire : nourriture, cigarettes, télévision, savon... **En prison, tout se paie beaucoup plus cher qu'à l'extérieur.** « Tout est possible quand on en a les moyens, mais pour les autres, c'est la course au mégot dans la cour de promenade. » Pour occuper ses journées et gagner un peu d'argent, **certains travaillent**. Ils sont affectés à la cuisine, à la lingerie ou à l'entretien des locaux. Les détenus sont aussi employés par des entreprises extérieures qui trouvent là de la main d'œuvre bon marché. Rémunérés bien moins que pour un travail équivalent à l'extérieur, les détenus n'ont ni contrat de travail, ni congés payés, ni congés maladie.

L'OBSERVATOIRE INTERNATIONAL DES PRISONS

Cet organisme a pour but de promouvoir la dignité des personnes incarcérées et de veiller au respect des droits de l'homme. Un rapport annuel dresse un état des conditions de vie dans les prisons.

Quand l'insalubrité met la santé des détenus en danger

De 2003 à 2005, Christian a été interné à Fleury-Mérogis (en banlieue parisienne), où il a vécu à l'isolement pendant un an. **« Les douches n'ont été nettoyées qu'une seule fois** parce qu'il y a eu une fouille générale mais c'était exceptionnel. Les autres jours, on se lavait dans des locaux pleins de moisissures, sans système d'aération. Tout le monde attrapait des champignons et des infections, mais pour se soigner... c'était un autre problème. » **Dans les cours et dans les cellules, ce n'était guère mieux** : « On voyait passer des rongeurs énormes. Ils étaient des centaines et sortaient des galeries qu'ils avaient creusées près du terrain de sport. Ils grouillaient dans les tas de détritus jetés par les détenus. » Ces conditions de détention posent problème et interpellent sur le droit de ne pas être soumis à des traitements inhumains ou dégradants, sur le droit à la santé et, plus généralement, sur le respect de la dignité humaine.

De nouveaux droits pour demain?

RIO+20

Je souhaite que le XXIe siècle soit le siècle des droits de l'homme.
Que ceux-ci deviennent une réalité de chaque jour, l'alpha et l'oméga
de la paix, du développement et de la démocratie.

Federico Mayor, directeur général de l'Unesco

On constate aujourd'hui que la pauvreté extrême, les conflits armés ou les catastrophes écologiques qui touchent les pays en voie de développement constituent un frein majeur au progrès des droits de l'homme. Bien que les États aient signés les différentes déclarations, conventions et traités internationaux relatifs aux droits humains, ceux-ci tardent encore à être appliqués. Mais que peut-on faire ?

Pour créer un environnement favorable au respect des droits de l'homme, une troisième génération de droits a été imaginée. Elle regroupe les « droits de solidarité » : droit au développement, droit de vivre dans un environnement sain, droit à la différence, droit à la paix et à la démocratie...

Parfaitement cohérents avec les « Objectifs du millénaire pour le développement » annoncés par l'ONU en 2000, ces nouveaux droits engagent la responsabilité de l'humanité envers les générations futures. Les droits de demain seront collectifs et, comme leur nom l'indique, ils reposeront sur la solidarité internationale.

Paysannes du district de Nawalparasi, au Népal.

Le **droit** au développement :
le défi du XXIᵉ siècle

Le droit au développement sera l'enjeu du XXIᵉ siècle. Réduire les inégalités nord-sud, permettre aux pays pauvres d'atteindre un niveau de vie décent et d'exploiter les richesses de leur sous-sol, rendre plus autonomes les populations et en particulier les femmes, tels doivent être les objectifs du siècle qui commence.

> La crise économique actuelle qui pèse sur la plupart des pays développés ne doit pas ralentir ou inverser les progrès réalisés.
>
> **BAN KI MOON,** SECRÉTAIRE GÉNÉRAL DES NATIONS UNIES, 2012.

La Déclaration des Nations unies

Proclamée en 1986, la Déclaration sur le droit au développement énonce dans son article 1 que «le droit au développement est un droit inaliénable de l'homme en vertu duquel toute personne humaine et tous les peuples ont **le droit de participer et de contribuer à un développement économique, social, culturel et politique** dans lequel tous les droits de l'homme et toutes les libertés fondamentales puissent être pleinement réalisés [...]. »

L'article 2 précise : «**L'être humain est le sujet central du développement** et doit en être le participant actif et le bénéficiaire. »

Pour les Nations unies, l'accès au développement suppose que soient remplies certaines conditions préalables comme l'égalité entre les peuples, le respect de leur souveraineté et de leur droit à gérer leurs richesses naturelles (énergies fossiles, ressources minières, forêts...).

Huit objectifs pour le Millénaire

En 2000, les dirigeants mondiaux réunis au siège des Nations unies à New York ont adopté un texte définissant des objectifs à atteindre d'ici 2015. Cette déclaration appelée « Déclaration du Millénaire des Nations unies pour le développement » engage les pays signataires à **réduire de moitié l'extrême pauvreté, à lutter contre la misère et la faim,** à développer l'enseignement primaire partout dans le monde, à promouvoir l'égalité des sexes, à donner plus d'autonomie aux femmes, à réduire la mortalité infantile, à lutter contre les maladies infectieuses comme le sida et à garantir la protection de l'environnement.

Horizon 2015 !

Deux ans avant la date butoir de 2015, l'ONU annonce que **certains objectifs du millénaire sont en passe d'être atteints.** L'extrême pauvreté a été réduite dans de nombreux pays en voie de développement. La scolarisation des enfants à l'école primaire a fortement progressé et ce sont les petites filles qui en ont bénéficié le plus. **L'accès à l'eau potable s'est lui aussi amélioré** ainsi que l'installation de l'eau courante dans les habitations. La lutte contre la mortalité infantile s'est accélérée. L'accès aux soins pour les personnes souffrant du sida a été facilité et certaines maladies comme le paludisme ont régressé. Si le secrétaire général de l'ONU affiche un certain optimisme, pour d'autres, le bilan est mitigé. Depuis quelques années, **on constate un ralentissement de certains progrès :** la faim dans le monde demeure un grave problème, le nombre de personnes vivant dans des taudis progresse, les violences faites aux femmes ne diminuent pas et freinent leur accès à l'autonomie. Un nouveau programme de développement est à l'étude afin de poursuivre les efforts au-delà de 2015.

LA CHINE POURRAIT ATTEINDRE SES OBJECTIFS !

Diminuer la pauvreté, assurer l'éducation primaire pour tous, réduire la mortalité infantile sont trois des objectifs qui pourraient être atteints par la Chine, en 2015. La proportion des Chinois vivant avec moins d'un dollar par jour a été divisée par deux et le taux des femmes accouchant à l'hôpital dans de bonnes conditions d'hygiène a dépassé les 90 %. Il reste cependant de grands progrès à accomplir dans le développement durable, l'égalité homme-femme et la lutte contre le sida.

Échographie de contrôle pour une femme enceinte dans la province de Khovd, en Mongolie.

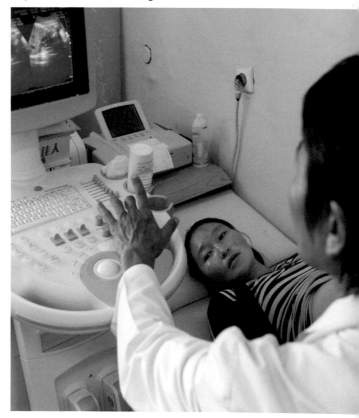

Faire reculer
la faim
dans le monde : c'est possible !

L'Asie détient le record des affamés

Le monde compte près de **870 millions de personnes sous-alimentées, soit un habitant de la planète sur huit.** La grande majorité vit dans des pays en voie de développement et 16 millions dans les pays développés. « Dans ce monde aux possibilités techniques et économiques sans précédent, il nous paraît inacceptable que plus de 100 millions d'enfants de moins de cinq ans souffrent d'insuffisance pondérale [...] et que la malnutrition soit, chaque année, une cause de décès pour plus de 2,5 millions d'entre eux » souligne la FAO (Organisation des Nations unies pour l'alimentation). La majorité des populations sous-alimentées vit dans trois régions du monde : l'Asie du Sud (304 millions), l'Afrique subsaharienne (234 millions) et l'Asie de l'Est (167 millions).

Le droit de manger à sa faim sera un autre défi du XXIe siècle, et l'une des conditions pour que progressent les droits de l'homme dans le monde. Privés de leur droit à la vie et à la dignité, les peuples affamés sont dans l'incapacité de revendiquer le respect de leurs libertés fondamentales.

LA SÉCURITÉ ALIMENTAIRE PASSE PAR LES FEMMES

Le programme intitulé «Accélérer les progrès vers l'autonomisation des femmes rurales» est une initiative des Nations unies pour promouvoir l'égalité des sexes et permettre aux femmes d'être plus autonomes. Ce projet vise à donner un rôle plus important aux femmes qui constituent 43 % de la main-d'œuvre agricole dans le monde et jusqu'à 70 % dans certains pays. On peut compter sur elles pour améliorer les rendements, lutter contre la sous-nutrition et devenir les artisans d'un changement profond et durable qui conduirait au progrès social.

Formation de femmes productrices de beurre de karité au Bénin.

Des résultats fragiles

On peut estimer que la lutte contre la faim commence à donner des résultats encourageants, notamment en Asie et en Amérique latine. Le nombre de personnes sous-alimentées a baissé de 132 millions entre 1992 et 2012, résultat qui pourrait permettre d'atteindre l'objectif du Millénaire. **C'est surtout avant 2008 que des progrès ont été réalisés** mais depuis, on constate un net ralentissement. Quelles en sont les raisons ? Le directeur de la FAO en dresse la liste : « La crise économique mondiale, la hausse des prix des denrées alimentaires, la demande croissante de biocarburants, la spéculation sur les matières premières alimentaires et les changements climatiques ».

La croissance et la protection sociale, remèdes contre la faim

La croissance économique, fortement basée sur l'agriculture, joue un rôle important dans la lutte contre la faim. En créant des emplois pour les plus démunis, elle profite aux petits exploitants et en particulier aux femmes qui sont nombreuses à travailler la terre. Mais la croissance économique ne suffit pas, elle doit être accompagnée par un système de protection sociale pour que les plus vulnérables aient accès à la nourriture, rapidement et gratuitement. La FAO se préoccupe aussi d'**améliorer la qualité de l'alimentation en encourageant la diversification des aliments,** en facilitant l'accès à l'eau potable et en développant l'éducation en matière de nutrition. Une croissance économique accompagnée d'une protection sociale efficace pourrait permettre d'éliminer la faim et la malnutrition dans le monde.

Nous appelons la communauté internationale à redoubler d'efforts pour aider les plus pauvres à réaliser leur droit fondamental à une nourriture suffisante. Le monde possède les connaissances et les moyens d'éliminer toutes les formes de l'insécurité alimentaire et de la malnutrition.

Rapport de la FAO, 2012.

POUR ou CONTRE
le microcrédit ?

Mohamed Yunus, surnommé « le banquier des pauvres ». Née au Bangladesh, la Grameen Bank travaille dans plus de 50 000 villages et fait des émules dans le monde entier.

Permettant aux plus démunis de sortir de l'extrême pauvreté, le microcrédit est aujourd'hui un des acteurs du développement. S'il est censé améliorer durablement les conditions de vie des plus pauvres, le microcrédit a aussi ses détracteurs qui y voient avant tout un entrainement vers la spirale du surendettement.

Le microcrédit, c'est quoi ?

Créé il y a plus de trente ans, le microcrédit est sans doute l'invention qui a fait le plus parler d'elle dans la lutte contre la pauvreté. Son objectif est de permettre à des petits entrepreneurs ou des artisans qui n'intéressent pas les banques de **trouver des financements pour développer une petite activité économique.** Prix Nobel de la Paix en 2006, **Mohammed Yunus** est l'un des créateurs du microcrédit. Il a consenti ses premiers prêts à un groupe de femmes du Bangladesh qui ont réussi à sortir de la pauvreté en achetant des téléphones portables pour vendre quelques minutes de communication aux habitants de leur village. Si le microcrédit est apparu dans les pays du sud, aujourd'hui il s'est étendu à l'Europe et aux États-Unis. **Plus de 150 millions de micro-emprunteurs l'utilisent à travers le monde.**

> La lutte contre la pauvreté n'a pas besoin de charité : il suffit de créer les bonnes opportunités que les pauvres sauront saisir pour faire croître leur entreprise et rembourser emprunts et intérêts.
>
> **MOHAMMED YUNUS,** FONDATEUR DE LA GRAMEEN BANK AU BANGLADESH ET PRIX NOBEL DE LA PAIX EN 2006.

BRÉSIL : LE MICROCRÉDIT AU SECOURS D'UNE FAVELA

Abandonnés par l'État et par les financiers, les habitants d'un bidonville du Nordeste ont créé leur propre banque, il y a dix ans. Aujourd'hui, le recul de la pauvreté est une réalité. Non seulement la banque Palmas a mis en place un système de microcrédit, mais elle a aussi créé une monnaie locale et instauré un réseau d'économie solidaire : une coopérative de couturières, une micro-entreprise de produits d'entretien, un centre d'apprentissage pour les jeunes du quartier et un système « d'allocations familiales » pour encourager les familles à mettre leurs enfants à l'école. Cette réussite locale a inspiré d'autres régions du Brésil.

pour!

C'est un moyen efficace de sortir de la pauvreté.

Pour les défenseurs du droit au développement, le microcrédit est **un moyen d'augmenter le revenu des plus pauvres en les aidant à économiser, à faire vivre leur entreprise et à faire face aux aléas de la vie.** Il permet au paysan d'acheter un tracteur, à l'épicier d'augmenter son stock de produits à revendre, mais il permet aussi de payer l'école, les médicaments, et d'acheter de quoi manger. **80 % de la population mondiale n'a pas accès aux services bancaires classiques** et le risque est grand de voir ces familles tomber aux mains des **usuriers locaux** qui pratiquent des prêts à des **taux exorbitants.** Pour ses défenseurs, le microcrédit est plus qu'un simple instrument financier, il est le levier qui devrait permettre une transformation des sociétés en profondeur afin d'augmenter le niveau de vie et de développer l'accès à l'éducation et aux soins.

contre!

Le microcrédit aggrave le surendettement.

Les opposants au microcrédit estiment que **cette pratique incite des populations déjà pauvres à s'endetter davantage.** Ils dénoncent les taux d'intérêt trop élevés et accusent les banquiers du microcrédit d'exploiter les plus vulnérables. Il est en effet arrivé que, face à l'impossibilité de rembourser, certains emprunteurs se suicident. Les bénéfices réalisés par les entreprises de microcrédit interrogent et la récente entrée en bourse de SKS, une banque indienne de micro finance, fait crier au scandale ceux qui estiment que ce système de prêt peut ruiner les économies locales. Le microcrédit est aussi **accusé de financer des activités trop petites pour pouvoir se développer.** En Inde ou en Indonésie, il existe d'innombrables petites épiceries qui ne parviennent pas à grandir, leurs bénéfices permettant tout juste à leurs propriétaires de vivre.

Campagne pour le crédit coopératif au Sénégal, soutenue par une célèbre marque italienne et le chanteur Youssou N'Dour (2008).

Pollution côtière sur l'île de Mindanao, aux Philippines.

Bien qu'il y ait eu plusieurs tentatives d'instaurer un droit de l'environnement au XIXᵉ siècle, il a fallu attendre les années 1970 et la conférence de Stockholm pour que soit reconnu le droit de vivre dans un environnement sain. Cette première réflexion sera déterminante et donnera lieu à d'autres rencontres sur l'état de la planète.

Vivre dans un
environnement sain :
un nouveau droit ?

La déclaration de Stockholm

Rédigée dans le cadre de la conférence de Stockholm qui s'est tenue en 1972, cette déclaration proclame dans son premier principe : « L'homme a un droit fondamental à la liberté, à l'égalité et à des conditions de vie satisfaisantes, **dans un environnement dont la qualité lui permet de vivre dans la dignité** et le bien-être. Il a le devoir solennel de **protéger et d'améliorer l'environnement pour les générations présentes et futures.** » Considérée comme un point de départ, cette déclaration a influencé de nombreuses actions parmi lesquelles la création du Programme des Nations unies pour l'environnement (PNUE) ainsi que de nombreuses initiatives régionales à commencer par celles de l'Union européenne. Si le sommet de Stockholm donne finalement peu de résultats concrets, il fait avancer la réflexion sur le fait qu'**il ne peut y avoir de développement humain sans respect de l'écologie.**

Les sommets de la Terre

Tous les dix ans, depuis la conférence de Stockholm, les dirigeants du monde entier se donnent rendez-vous pour **faire le point sur l'état de la planète et promouvoir le développement durable.** Le second sommet a lieu à Nairobi, au Kenya, en 1982, le troisième à Rio de Janeiro, au Brésil, en 1992, le quatrième à Johannesburg, en Afrique du Sud, en 2002 et le dernier à Rio, en juin 2012. Au-delà de leur caractère symbolique, ces rencontres régulières organisées sous l'égide de l'ONU prouvent que le respect de l'environnement à l'échelle mondiale devient une réelle préoccupation des États. En 1992, le sommet de Rio qui a réuni une centaine de chefs d'État a pour la première fois ouvert ses débats à 1500 ONG. De cette rencontre est né **« L'Agenda 21 »,** un programme de protection de l'environnement pour le XXIᵉ siècle.

Dilma Rousseff, présidente de la république du Brésil, accueille la conférence des Nations unies sur le développement durable, en juin 2012.

Le sommet de l'impuissance ?

En juin 2012, s'ouvre un nouveau sommet à Rio de Janeiro. Organisé vingt ans après celui de 1992, il a pour nom « Rio+20 ». Les discussions portent sur l'éradication de la pauvreté, la promotion de l'égalité sociale et la protection de l'environnement. En dépit du titre prometteur de la déclaration finale, « L'Avenir que nous voulons », le sommet laisse un sentiment d'impuissance et de déception. Les actions qui doivent être mises en œuvre d'urgence sont évasives et **l'écart se creuse entre les préoccupations écologiques des pays développés et celles des pays en développement.** Aujourd'hui, 900 millions d'êtres humains sont mal nourris, 1 milliard n'a pas accès à l'eau potable, 2,6 milliards ne disposent pas d'un système d'assainissement approprié et 1,6 milliard vivent sans électricité. **Le premier fléau à combattre est la pauvreté,** car pour le milliard d'individus qui vivent avec moins de 1,25 dollar par jour, **la préservation de l'environnement n'est pas une priorité.**

L'AGENDA 21

S'intéressant à lutte contre la pauvreté et l'exclusion sociale, à la santé, au logement, à la pollution de l'air, à une bonne gestion des ressources de la mer et des forêts, à la désertification, à une meilleure répartition des ressources en eau et à la protection de l'environnement, l'Agenda 21 a pour ambition de contraindre les États signataires à mener des réformes concrètes. Largement mis en œuvre, tant à l'échelle locale, nationale qu'internationale, on commence aujourd'hui à mesurer les retombées des actions engagées.

Forêt canadienne exploitée selon les règles du développement durable.

Menées sans précautions, les prospections sauvages d'hydrocarbures contaminent durablement les terres agricoles (ici au Niger).

Pas de droits de l'homme sans droit à l'environnement

Dans le delta du Niger...

Au sud du Nigéria, une immense région marécageuse riche en pétrole est devenue un lieu de prospection pour de nombreuses multinationales. Cette activité s'accompagne malheureusement de **fuites d'hydrocarbures équivalant à une gigantesque marée noire.** Au milieu des nappes de pétrole qui recouvrent la mangrove, les 30 millions d'habitants du delta du Niger ont vu leurs ressources diminuer au fil des ans. La pêche ne donne plus rien, la terre est moins fertile et la santé des habitants se dégrade. Le Programme des Nations unies pour l'environnement conclut : « Il y a **des centaines de sites contaminés** [...] **présentant une menace sérieuse pour la santé et l'environnement.** L'espérance de vie ici est de 45 à 50 ans, contre 55

Inhérent à la personne humaine comme l'est le droit à la dignité, le droit à un environnement sain est un des premiers principes à respecter pour que s'appliquent ensuite les autres droits. Quand l'environnement est pollué ou dégradé, que deviennent les droits à la vie, à la santé ou au travail ?

à 60 ans dans le reste du pays. » Qui sont les responsables de cette catastrophe ? Les compagnies pétrolières ? Oui, mais pas seulement. Il y a aussi les dirigeants du pays dont les revenus proviennent à 80 % du pétrole et aussi les voleurs d'hydrocarbures qui percent les oléoducs pour le raffinage clandestin.

Des droits interdépendants

La dégradation de l'environnement affecte le droit à la vie, à la santé, au travail et au développement. Dans certains pays, **la pollution des rivières et des lacs prive les pêcheurs de travail et leurs familles de nourriture.** Dans d'autres, le rejet de déchets industriels qui empoisonnent l'air et les sols met la santé des enfants en danger et **compromet leur développement physique et intellectuel.** La détérioration de l'environnement porte aussi atteinte aux droits civils et politiques. Les populations concernées sont rarement invitées à donner leur avis sur les choix économiques faits par leurs gouvernants et leur liberté d'exprimer leur opinion est souvent réduite. Loin d'être un luxe, le droit de vivre dans un environnement sain constitue une condition indispensable à l'application de tous les autres droits.

> *Nous pensons que le plus grand défi de la prochaine décennie dans le domaine des droits humains sera de protéger les défenseurs de l'environnement et de lutter pour le droit de ceux qui mettent leur vie en danger en s'engageant pour notre planète.*

AMNESTY INTERNATIONAL

Réacteur n° 1 de Fukushima Daiichi, le 12 mars 2011.

LES DROITS DES KICHWA ENFIN RECONNUS

Bonne nouvelle pour les Kichwa qui vivent dans la région de Sarayaku, en plein cœur de la forêt tropicale équatorienne ! Après dix ans de lutte contre des multinationales pétrolières et contre le gouvernement du pays, ils viennent de gagner leur procès. En juillet 2012, la Cour interaméricaine des droits de l'homme a confirmé la responsabilité de l'État équatorien dans la violation des droits du peuple Kichwa, a accordé des dédommagements et a reconnu le droit des Kichwa à l'autodétermination.

Fukushima et le droit à l'information

Le 11 mars 2011, un tremblement de terre provoque un gigantesque tsunami sur le littoral japonais. Une vague de 15 mètres de haut déferle sur la centrale nucléaire de Fukushima, endommageant les systèmes de refroidissement des réacteurs et provoquant l'entrée en fusion du combustible. L'accident de Fukushima est la plus grave catastrophe nucléaire depuis Tchernobyl en 1986, et il faudra plusieurs années pour en mesurer les effets sur la population japonaise et sur l'environnement. Une commission d'enquête révèle que **la centrale de Fukushima ne respectait pas les normes antisismiques,** bafouant ainsi **le droit des Japonais à être protégés** des accidents nucléaires. L'État japonais n'a pas non plus respecté **le droit des populations d'être informées en cas de danger.** Dès qu'il s'agit de sécurité nucléaire, les gouvernants ont trop souvent tendance à minimiser l'importance des risques encourus.

POUR ou CONTRE
les biocarburants ?

> Le chemin de la prospérité, qui détruit l'environnement et laisse la majeure partie de l'humanité dans la misère, apparaîtra bientôt comme une voie sans issue pour nous tous.
>
> **KOFI ANNAN,**
> ANCIEN SECRÉTAIRE GÉNÉRAL DE L'ONU.

Qu'est-ce qu'un biocarburant ?

Les biocarburants de «première génération» sont **le bioéthanol obtenu à partir de végétaux** (blé, maïs, betterave...) et **le biodiesel issu d'huiles** (colza, soja, palme). Des recherches sont en cours afin de mettre au point une seconde puis une troisième génération de biocarburants obtenus **à partir d'algues.** Aujourd'hui, seuls les biocarburants de première génération sont produits à l'échelle industrielle. Les deux grands producteurs sont les États-Unis (48 % de la production) et le Brésil (29 %). Viennent ensuite l'Union européenne (Allemagne, France, Espagne) avec 14 % puis l'Asie avec 4 %.

INDONÉSIE : DROITS ÉCONOMIQUES CONTRE DROITS DE L'HOMME

En Indonésie, l'huile de palme était déjà utilisée pour l'alimentation humaine, la fabrication de cosmétiques et la nourriture des animaux. Aujourd'hui, elle l'est aussi pour les biocarburants. L'Indonésie et la Malaisie fournissent 90 % de la production mondiale d'huile de palme. D'ici vingt ans, le gouvernement prévoit d'augmenter de 20 millions d'hectares les terres consacrées aux agro-carburants, soit la surface de l'Angleterre, de la Suisse et des Pays-Bas réunis. La déforestation qui va en résulter sera un désastre pour les millions d'Indonésiens qui dépendent de la forêt pour se loger, se nourrir, se soigner et travailler. Les emplois promis en compensation sont, pour le moment, peu nombreux, précaires et peu valorisants.

La consommation mondiale d'énergie ne cesse d'augmenter avec pour conséquence une diminution des réserves de pétrole et une dégradation du climat. Si les pays riches cherchent aujourd'hui des énergies renouvelables, ils doivent veiller à ne pas mettre en danger le fragile équilibre des pays en développement.

pour !

C'est une solution pour remplacer le pétrole.

Dans les débats portant sur les ressources en énergie et les changements climatiques, les biocarburants sont apparus comme une alternative possible. Leurs défenseurs affirment qu'ils sont **une réponse à l'épuisement des énergies fossiles** comme le pétrole, qu'ils émettent **moins de gaz à effet de serre** et qu'ils offrent de réelles perspectives économiques en redynamisant le secteur agricole, en offrant de **nouveaux marchés** aux grandes entreprises et en créant des emplois y compris dans les pays du sud. Autre avantage, l'utilisation massive de biocarburants permettrait aux pays non producteurs de pétrole de gagner en **indépendance énergétique.**

contre !

Les biocarburants menacent les cultures alimentaires !

Ceux qui s'opposent aux biocarburants craignent de voir se développer une agriculture essentiellement basée sur les bioénergies au détriment des produits alimentaires dont les prix s'envolent. Consacrer une grande quantité des terres au biocarburant **menace la sécurité alimentaire des pays pauvres,** prive l'homme et le bétail de nourriture et provoque une augmentation des **expropriations des petits paysans** d'Amérique latine et d'Asie. Sur le plan écologique, le biocarburant est moins intéressant qu'il n'y paraît. La culture du soja est devenue la principale cause de **déboisement de l'Amazonie** brésilienne et celle du palmier à huile provoque la **déforestation en Indonésie.** Un rapport de l'ONU dénonce les violations des droits de l'homme, les déplacements forcés de population et les conflits provoqués par la spoliation des terres.

Immense plantation en Indonésie, premier producteur mondial d'huile de palme.

Le droit à la différence :
un enjeu de société

> Si tu diffères de moi, loin de me léser, tu m'enrichis
>
> **ANTOINE DE SAINT-EXUPÉRY**

Contrairement aux régimes totalitaires qui se sont construits contre le principe du droit à la différence, les démocraties sont fondées sur la reconnaissance de la diversité des origines, des modes de vie et des opinions. Inhérent à la vie en société, le droit à la différence est d'une brûlante actualité.

Inscrit dans la Déclaration universelle

Le droit à la non-discrimination est reconnu par les principaux textes internationaux. Dans son article 2, la Déclaration universelle des droits de l'homme stipule : « Chacun peut se prévaloir de tous les droits et de toutes les libertés proclamés dans la présente Déclaration, sans distinction aucune, notamment de race, de couleur, de sexe, de langue, de religion, d'opinion politique [...] ». La Convention internationale contre toutes les formes de discrimination raciale, rédigée par l'ONU, condamne « toute distinction, exclusion, restriction ou préférence fondée sur la race, la couleur, [...] qui a pour but ou pour effet de détruire [...] la jouissance ou l'exercice, dans des conditions d'égalité, des droits de l'homme et des libertés fondamentales [...]. » Les récentes mesures prises par la Convention européenne réaffirmant le droit à la non-discrimination ont été saluées par la communauté internationale qui leur reconnaît une réelle efficacité.

Panneau utilisé en Afrique du Sud sous le régime de l'Apartheid (1948-1991). On peut lire : « Plage réservée aux Blancs ».

MUNICIPALITY OF STRAND

BEACH RESERVED FOR WHITES ONLY

La non-discrimination : un droit fondamental

Bien qu'il soit inscrit dans la Déclaration universelle et dans de nombreux autres textes, le droit à la non-discrimination est bafoué tous les jours. La discrimination peut être inscrite dans la loi d'un État comme ce fut le cas en Afrique du Sud pendant l'Apartheid, un régime politique qui prônait la ségrégation raciale comme mode de gouvernement. Mais, **le plus souvent, la discrimination résulte de la non application des lois.** Au nom des coutumes ancestrales, des intérêts économiques, de la sécurité intérieure ou de la lutte contre le terrorisme, l'usage de la discrimination est toléré.

Les multiples formes de la discrimination

La discrimination s'exerce à l'encontre de certains groupes de population en les privant de leurs droits fondamentaux comme le droit d'avoir une nationalité, celui de se déplacer librement, le droit de s'exprimer ou de travailler. Dans de nombreux pays, c'est **la couleur de peau, l'origine ethnique ou la langue parlée qui sont source d'exclusion.** Au Liban, les réfugiés palestiniens sont victimes de discriminations. L'État refuse de leur fournir des papiers d'identité et leur interdit d'exercer certaines professions. **En Iran et au Pakistan, les minorités religieuses sont persécutées,** leurs leaders emprisonnés et parfois condamnés à la peine capitale. **Dans plus de 90 États, l'homosexualité est interdite.** Elle peut être punie de prison, de lynchage et même de mort. C'est en particulier le cas dans des pays d'Afrique et du Moyen-Orient. Les exemples de discrimination sont nombreux et aucun pays n'est épargné, pas même l'Europe où on relève de nombreux cas de **discrimination à l'embauche,** d'**exclusion des handicapés** ou d'**hostilité à l'égard des Roms.**

Chaque année, les « marches de fierté » (ou Gay Pride) rassemblent ceux et celles qui revendiquent la non-discrimination en matière sexuelle.

MOI MON PAPA EST NOIR ET MA MAMAN BLANCHE.

MOI C'EST L'INVERSE !

Dessin de Michel Kichka

LA DISCRIMINATION POSITIVE

L'OBJECTIF ? Promouvoir l'égalité des chances en accordant à certains groupes humains défavorisés un traitement préférentiel. Très pratiquée aux États-Unis pour que la couleur de peau ne soit pas systématiquement pénalisante, elle existe aussi en France. Pour certains, elle permet de mettre fin aux préjugés qui entretiennent l'exclusion sociale. D'autres jugent cette mesure stigmatisante envers ceux qu'elle veut aider et discriminatoire à l'encontre des autres.

La non-discrimination : de la théorie à la pratique

Fondée sur l'intolérance, la discrimination est une atteinte aux droits fondamentaux de l'homme. Être victime de discrimination parce qu'on est une femme, un handicapé, une personne de couleur, un homosexuel... que l'on est gros, petit ou vieux... que l'on pratique une religion, que l'on porte un prénom étranger, est aujourd'hui au cœur du débat démocratique.

> Ne vous fiez pas aux apparences.
> Fiez-vous aux compétences.
>
> **ADIA**, PREMIÈRE ENTREPRISE DE TRAVAIL TEMPORAIRE À S'ENGAGER EN FAVEUR DE LA NON-DISCRIMINATION.

En France : l'Observatoire des discriminations

Créé en 2003, cet observatoire s'est donné pour mission d'étudier toutes les formes de discriminations, en particulier celles qui concernent le travail. De nombreuses enquêtes tentent de mesurer l'étendue de l'exclusion qui touche les hommes et les femmes dans le monde du travail. **Des plaintes sont régulièrement déposées pour discrimination à l'embauche** quand, à diplômes égaux, un candidat de type européen est préféré à un candidat de couleur. En France, une autre grande structure travaille sur les discriminations, il s'agit du Défenseur des droits. Nommé par le président de la République, il est chargé de défendre les droits des citoyens face aux administrations et, par conséquent, de lutter contre les discriminations.

RACISME ET CONFLITS ARMÉS

Le racisme et la discrimination provoquent parfois de graves tensions entre communautés. Poussée à l'extrême par les chefs de guerre, la haine qui s'empare des peuples peut rapidement dégénérer en véritables conflits avec pour conséquences de terribles déchaînements de violence. Le nettoyage ethnique qui a eu lieu en Ex-Yougoslavie, de même que le génocide du Rwanda en sont de tristes exemples.

En Afrique du Sud : vingt ans après l'apartheid, où en est-on ?

Le 30 juin 1991, ont été abolies les lois ségrégationnistes qui légalisaient le régime de l'apartheid. Aujourd'hui, la situation est encore difficile pour les Noirs, victimes d'inégalités criantes : salaire quatre à cinq fois inférieur à celui des Blancs, chômage cinq à six fois plus élevé... Malgré les progrès réalisés, **l'Afrique du Sud a encore beaucoup à faire pour permettre à tous ses citoyens de vivre ensemble.** L'exclusion économique de millions de jeunes Noirs pose de graves problèmes politiques dans ce pays où il est toujours difficile de séparer les problèmes sociaux des problèmes raciaux. Secouée par des tensions xénophobes et un esprit de revanche contre les Blancs – les anciens oppresseurs – l'Afrique du Sud mettra encore des années à réconcilier ses citoyens.

Cette jeune Indienne collecte des bouses de vache séchées. Sous forme de galettes, elles seront utilisées comme combustible.

Les Intouchables en Inde : une caste en voie de disparition ?

« Nous devons nous tenir à l'écart des membres des hautes castes. Cette règle, on l'a apprise en naissant. Aux éventaires des marchands de thé, nous avons des tasses à part, ébréchées et crasseuses. Nous devons aller chercher notre eau à un quart d'heure de marche, parce que les fontaines du village nous sont interdites. À l'école, nous devons nous asseoir à l'extérieur, devant la porte ». Ainsi témoigne Rajesh, une jeune indienne Intouchable. Le système des castes qui existe depuis 2000 ans perdure encore aujourd'hui. **Tout en bas de l'échelle sociale, plus de 150 millions d'Intouchables vivent dans une pauvreté dégradante.** Pour lutter contre cette discrimination qui bafoue de nombreux droits fondamentaux, l'Inde a adopté une nouvelle Constitution en 1950. Le terme « Intouchable » a été aboli et une discrimination positive a été instaurée à l'égard de cette population, lui réservant des places dans les écoles, dans la fonction publique et dans la vie politique. Même si, ponctuellement, la population s'émeut du sort des Intouchables, ces manifestations ne durent jamais assez longtemps pour que les mentalités évoluent vraiment et que des réformes soient entreprises.

Fierté de l'Afrique du Sud, son équipe de rugby (les Springboks) est ouverte à tous.

POUR ou CONTRE
la différence
des droits ?

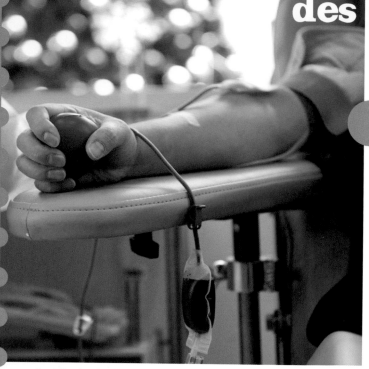

Les Témoins de Jéhovah, un mouvement religieux, n'acceptent pas la transfusion sanguine. Ils revendiquent le droit de s'opposer au corps médical si celui-ci la prescrit pour l'un des leurs adeptes.

Le droit à la « différence » ou le droit à la « différence des droits » ?

Dans son article 1, la Constitution française énonce : « La France est une République indivisible, laïque, démocratique et sociale. Elle assure l'**égalité devant la loi de tous les citoyens sans distinction d'origine, de race ou de religion.** Elle respecte toutes les croyances. » À la lecture de cet article, on peut dire que le droit à la différence est reconnu en France. Le droit à la différence des droits c'est autre chose : c'est reconnaître à des groupes de population des **droits spécifiques qui peuvent parfois contredire les lois de la République.**

Dans les sociétés démocratiques, le respect des différences devrait aller de soi. Indissociable des libertés individuelles, cette reconnaissance de la différence donne le droit de penser librement, de pratiquer sa religion ou sa langue et d'être libre de son orientation sexuelle. Mais ce droit doit-il avoir des limites ?

LES ZONES DE NON-DROIT

En France, on trouve dans certaines villes des quartiers où les lois de la République ont été remplacées par des lois communautaristes, et où des droits nouveaux et autoproclamés régissent la vie des habitants. Le pouvoir est aux mains des mafias locales, les trafics de drogue prospèrent et certains principes républicains sont mis en cause : respect du droit des femmes, liberté d'opinion et d'expression, liberté de religion...

pour!

La différence des droits est source d'égalité.

Comme le respect de la dignité et de la liberté, le droit à la différence est indissociable de la notion d'être humain. Tenant compte de la diversité des origines, des religions, des sexes ou des différences physiques, il permet de **garantir l'égalité de tous les citoyens.** Ceux qui défendent le droit à la différence y voient un moyen de faire progresser la démocratie et d'**éviter les conflits** au sein des sociétés. Mais, depuis quelques années, la question se pose d'accorder des droits spécifiques aux différentes communautés qui les revendiquent ? Quand ces nouveaux droits sont source d'égalité, et ne remettent pas en cause les principes républicains, il n'y a aucune raison pour ne pas les accorder. **Les handicapés réclament des droits spécifiques, la communauté homosexuelle ou les gens du voyage également.**

contre!

La différence des droits met la République en danger !

Depuis quelques années, les communautés s'affirment en France et revendiquent des droits qui leur seraient propres. Le rôle de l'État est alors de **délimiter la frontière entre ce qui est acceptable et ce qui est contraire aux principes républicains.** Lorsque que les gays et les lesbiennes réclament le droit au mariage ou à l'adoption, les défenseurs de la différence des droits estiment qu'il n'y a **aucune atteinte aux valeurs de la République.** Lorsque, dans l'enseignement public, certains parents veulent dispenser leur fille des cours de biologie ou de sport pour des **raisons d'ordre religieux,** cette demande va à l'encontre des lois sur la laïcité et sur l'éducation. Quand elles menacent la cohésion sociale, l'ordre public et les libertés individuelles, ces revendications sont appelées **« dérives communautaristes ».**

Dans les communes françaises de plus de 5 000 habitants, la présence d'une aire d'accueil pour les gens du voyage est prévue par la loi.

Au printemps 2013, la question du « mariage pour tous » a divisé l'opinion et provoqué de nombreuses manifestations.

Le droit à **la paix :** une utopie ?

> « La renonciation généralisée à la violence requiert l'engagement de toute la société. Elle est l'affaire non du gouvernement mais de l'État, non de quelques dirigeants mais de l'ensemble de la société. »
>
> **Federico Mayor,** DIRECTEUR GÉNÉRAL DE L'UNESCO.

Le maintien de la paix est une condition indispensable au développement économique et social d'un pays ainsi qu'à l'épanouissement de la démocratie. Si chacun d'entre nous est convaincu que l'absence de guerre facilite le respect des droits de l'homme, la paix peut-elle pour autant devenir un droit ?

L'une des célèbres photos de Nick Ut montrant des enfants fuyant la guerre au Vietnam, en 1972.

Quand la paix n'était pas encore un droit...

En 1945, au lendemain de la Seconde Guerre mondiale, la Charte des Nations unies invite « à pratiquer la tolérance, à vivre en paix l'un avec l'autre dans un esprit de bon voisinage, à unir nos forces pour maintenir la paix et la sécurité internationales. » Le terme « droit à la paix » n'existe pas encore. Dans la Déclaration universelle des droits de l'homme de 1948, l'article 3 stipule : **« Tout individu a droit à la vie, à la liberté et à la sûreté de sa personne. »** et l'article 28 : « Toute personne a droit à ce que règne, sur le plan social et sur le plan international, un ordre tel que les droits et libertés énoncés dans la présente Déclaration puissent y trouver plein effet ».
La Convention américaine des droits de l'homme, la Charte africaine des droits de l'homme et des peuples, de même que la Charte arabe des droits de l'homme reprennent des dispositions similaires.

Le droit à la paix finit par s'imposer

Le concept de « droit à la paix » émerge dans les années 1990 mais suscite de nombreuses controverses. Considérant que ce nouveau droit pourrait remettre en cause le pouvoir sans partage des États, les pays occidentaux font échouer une première tentative d'instituer ce droit. Dans les années 2000, le débat évolue : on parle de dimension collective et individuelle de la paix, de « sécurité humaine » et de « responsabilité de protéger ». En 2006, la Convention de Luarca (Espagne) définit ce que pourrait être un « droit humain à la paix » qui englo- berait **le droit à l'éducation pour la paix, le droit à la sécurité humaine, le droit à vivre dans un environnement sécurisé, sain et durable,** le droit au désarmement… L'idée est aussi de promouvoir les politiques de négociation au détriment des solutions militaires.

Rassemblement pacifiste lors de la Journée internationale des femmes à Monrovia (Libéria).

Panneau indiquant : « Costa Rica, pas d'armée depuis 1948 ».

VERS UNE « DÉCLARATION DES NATIONS UNIES SUR LE DROIT À LA PAIX »

Dès 1984, le droit à la paix a été reconnu par l'ONU qui a proclamé une « Déclaration sur le droit des peuples à la paix ». Dans les années suivantes, plusieurs résolutions ont été votées : résolutions sur la culture de la paix (1999), sur la non-violence au profit des enfants (2001), sur le désarmement nucléaire (2009)… Lentement, une définition du droit à la paix s'élabore. En 2012, le conseil des droits de l'homme de l'ONU a décidé de compléter la déclaration de 1984 et de la rebaptiser « Déclaration des Nations unies sur le droit à la paix ».

Le Costa Rica : un pays sans armée

Au milieu du XXᵉ siècle, **le Costa Rica, petit pays d'Amérique Latine, a aboli son armée et a inscrit le droit à la paix dans sa Constitution.** Ce choix politique a permis au pays d'investir dans l'éducation et la santé, et de faire progresser le niveau de vie. En 1986, le président du Costa Rica, Oscar Arias Sanchez, a annoncé qu'il souhaitait restaurer la paix en Amérique centrale alors en proie à une violence généralisée. Après avoir réuni les dirigeants du Guatemala, du Honduras, du Salvador et du Nicaragua pour réfléchir à la manière de résoudre ces conflits, il a fait approuver son plan de paix qui demande à chaque État de limiter la taille de son armée, d'assurer la liberté de la presse et d'orga- niser des élections libres. En 1987, Oscar Arias Sanchez reçoit le prix Nobel de la Paix. Aujourd'hui, **l'indice de développe- ment du Costa Rica est bien supérieur à celui de ses voisins,** le taux d'alphabéti- sation atteint 96 % et l'espérance de vie est de 77 ans, dix de plus qu'au Guatemala ou au Honduras.

Droit à la sécurité et droits de l'homme
sont-ils compatibles ?

Comme le droit à la paix, le droit à la sécurité est une condition fondamentale pour que les autres droits humains soient respectés. Sans sécurité, pas de droit à la vie, pas de liberté de circuler, pas de liberté d'expression ! S'il revient aux États d'assurer la sécurité sur leur territoire, cette mission ne doit pas s'exercer aux dépens des droits de l'homme.

Au lendemain des attentats du 11 septembre 2011, les ruines du World Trade Center, à New York. On comptera près de 3 000 morts.

Dix ans de lutte contre le terrorisme

Les attentats du 11 septembre 2001 ont fait entrer le monde dans une nouvelle ère, celle du terrorisme international. En réponse à cette agression et pour prévenir d'autres attaques, la lutte anti-terroriste s'est organisée. La coopération à l'échelle internationale s'est renforcée en matière de police et de recherche de renseignements. En 2005, les pays de l'Union européenne adoptent une stratégie commune visant à « lutter contre le terrorisme, [...] et à rendre l'Europe plus sûre, en permettant à ses citoyens de vivre dans un espace de liberté, de sécurité et de justice. » Au niveau national, **chaque pays se dote aussi de nouveaux moyens pour se protéger du terrorisme** : le *Patriot Act* aux États-Unis, le *Anti-terrorism, Crime and security Act* en Angleterre, ou la loi de 2006 en France.

PAS DE SÉCURITÉ SANS DROITS HUMAINS

Contre le terrorisme, l'arme la plus efficace est la défense des droits humains et le respect de l'État de droit. La restriction des libertés individuelles dans la lutte anti-terroriste n'est pas une garantie de sécurité. De même, stigmatiser certains États en les désignant comme « du mal » ne peut que creuser un fossé entre les peuples et attiser la haine.

La lutte anti-terroriste et ses dérives...

L'obsession de sécurité qui s'est emparée du monde pose la question du respect des libertés. Certains jugent ces mesures sécuritaires indispensables, d'autres estiment qu'elles permettent de justifier la mise en place de lois d'exception contre les opposants politiques et les minorités religieuses ou ethniques. Pour identifier de potentiels terroristes, les États ont recours aux **écoutes téléphoniques,** à la vidéo surveillance, au **piratage des e-mails...** méthodes constituant de flagrantes atteintes à la vie privée. En juin 2013, les révélations d'Edward Snowden, un informaticien ancien employé de la CIA et de la NSA (Agence nationale de sécurité des USA), soulignent l'ampleur de ce système d'écoutes secrètes et du programme de surveillance d'Internet.
Les États recourent aussi aux **arrestations arbitraires,** à la détention de longue durée sans jugement et à la **torture** afin d'obtenir des renseignements ou des aveux.

Au sud-est de Cuba, les «combattants illégaux» capturés par l'armée américaine sont détenus dans la base de Guantanamo.

La Russie et la menace terroriste tchétchène

En 1999 commence la seconde guerre de Tchétchénie, petite république du Caucase du Nord, qui oppose l'armée russe aux indépendantistes tchétchènes. Si Grozny, la capitale, tombe aux mains des Russes début 2000, les combats se poursuivent jusqu'en 2009. **La lutte contre le terrorisme a été le principal argument avancé par l'État russe pour justifier la reprise de la guerre.** Aujourd'hui encore, la Tchétchénie et le Caucase du Nord subissent des violations quotidiennes de leurs droits au nom de la lutte anti-terroriste : assassinats et enlèvements, détention arbitraire, torture...

HAJ ALI AL-QAISI : TÉMOIGNAGE D'ABOU GHRAIB

« Ils m'ont fait monter sur un tabouret, avec un capuchon sur la tête et les bras en croix. Ils m'ont dit qu'ils allaient me faire des décharges électriques. Alors ils ont pris deux câbles et les ont enfilés dans mon corps. J'avais l'impression que mes yeux jaillissaient hors des orbites. » Haj Ali al-Qaisi a été accusé d'avoir voulu attaquer les forces d'occupation américaines en Irak. Son portrait – capuchon noir sur la tête et électrodes – a fait le tour du monde quand, en 2004, des photos de la prison d'Abou Ghraib montrant des détenus irakiens humiliés ont été diffusées.

Soldats russes en patrouille sur une place de Grozny, en Tchétchénie.

débat

POUR ou CONTRE le droit d'ingérence humanitaire ?

Véhicules et hélicoptère de l'ONU en mission à Haïti, février 2012.

Apparu à la fin des années 1980, le « droit » ou « devoir » d'ingérence humanitaire » permet de porter secours à des populations en danger sans avoir obtenu l'accord de l'État concerné. L'idée est d'intervenir en cas de massacres de populations, de violations massives des droits de l'homme et de menace contre la paix mondiale. Mais cette généreuse idée est-elle toujours sans arrière-pensées ?

> Ce n'est pas vrai qu'il faille choisir nécessairement entre la lâcheté de l'indifférence et le chaos des bombardements. Une telle issue s'impose uniquement si l'on décide au départ qu'agir signifie « agir militairement ». Il existe des formes d'intervention autres que les attaques militaires.
>
> **TZVETAN TODOROV,** PHILOSOPHE.

L'INGÉRENCE SOUS TOUTES SES FORMES

L'ingérence ne consiste pas seulement à envoyer une force armée pour sauver des populations, elle prend aussi la forme d'ingérence démocratique, d'ingérence judiciaire et aujourd'hui, d'ingérence écologique. L'élargissement du champ d'intervention des États occidentaux en matière d'ingérence humanitaire ne doit pas avoir pour conséquence de remettre en cause la souveraineté d'États, libérés depuis peu de temps de la colonisation.

Le droit d'ingérence, c'est quoi ?

L'ingérence humanitaire défend l'idée qu'il est nécessaire d'envoyer des secours ou des forces armées pour **aider des populations victimes de catastrophes naturelles ou de violations des droits de l'homme, même si l'État concerné n'est pas d'accord.** Ce concept est apparu avec la guerre du Biafra (1967-1970) qui avait entraîné une terrible famine. À cette époque, aucun État n'avait réagi au nom de la neutralité. Un groupe de médecins avait cependant estimé que certaines situations d'urgence justifiaient l'ingérence dans les affaires d'un État. Depuis lors, d'autres interventions ont eu lieu au Kosovo, en Irak, en Côte-d'Ivoire, en Libye…

pour!

Il est de notre devoir d'aller porter secours.

L'ingérence humanitaire est avant tout une **idée généreuse** qui trouve ses racines dans la Déclaration universelle des droits de l'homme. Pour être légitime, **ce droit ne doit s'exercer qu'en cas de violation massive des droits humains** et ne devrait se mettre en place que **dans le cadre du Conseil de sécurité de l'ONU** quand celui-ci estime qu'il y a « menace contre la paix et la sécurité mondiale ». Aucun État ne peut justifier de massacrer sa propre population sous prétexte qu'il est souverain sur ce qui se passe à l'intérieur de ses frontières. C'est pourquoi le droit d'ingérence intervient quand les droits fondamentaux, comme le droit à la vie ou le respect de l'intégrité physique, sont bafoués. Par la signature des déclarations et des conventions internationales, les États se sont engagés « souverainement » à respecter les droits de l'homme, c'est donc « souverainement » qu'ils doivent les appliquer.

Casque bleu de l'ONU en patrouille sur la frontière entre Soudan et Soudan du Sud, mai 2011.

contre!

Le droit d'ingérence est une forme d'impérialisme.

Le droit d'ingérence a mené à de dangereux abus. Son principal point faible est de **remettre en cause la souveraineté des États** qui n'ont pas d'autre choix que d'accepter l'intervention de puissances étrangères. Dans la pratique, seuls les États les plus faibles sont la cible d'actions internationales d'ingérence. Il est en effet difficile d'imaginer une intervention en Tchétchénie contre la Russie, alors que la situation de la population est aussi critique qu'au Kosovo quand il était rattaché à la Serbie. Le droit d'ingérence est par conséquent vu comme **un prétexte utilisé par les pays occidentaux pour étendre leur impérialisme et leur modèle démocratique.** Bien qu'autorisées par l'ONU, les récentes interventions en Côte-d'Ivoire et en Lybie ont été perçues comme injustifiées. Elles révéleraient en réalité un **intérêt particulier des Occidentaux pour les ressources en matière premières** de ces deux pays.

Ils défendent les droits de l'homme

L'ONU et ses agences spécialisées

• HCR

Le Haut-commissariat aux Réfugiés est une organisation de l'ONU qui siège à Genève. Il a pour mission de protéger les réfugiés dont le nombre s'élève à plus de 15 millions, et de leur assurer des conditions de vie acceptables. Cet organisme a reçu le Prix Nobel de la paix en 1954 et en 1981.

• FAO

L'Organisation des Nations unies pour l'alimentation et l'agriculture siège à Rome. Elle vient en aide aux pays qui veulent lutter contre la faim en leur proposant des solutions durables adaptées à leur environnement et à leur mode de vie.

• UNICEF

Le Fonds des Nations unies pour l'enfance travaille à améliorer la situation des enfants dans le monde et à promouvoir la Convention internationale des droits de l'enfant. Cet organisme, qui siège à Paris, a reçu le Prix Nobel de la paix en 1965.

• OMS

L'Organisation mondiale de la santé est une agence spécialisée de l'ONU chargée de veiller à la santé publique. Installée à Genève, elle a pour objectif d'améliorer la santé et le bien être des habitants de la planète.

• OIT

L'Organisation internationale du travail a son siège à Genève. Elle se consacre à promouvoir l'amélioration des conditions de travail à travers le monde. Cette organisation a reçu le Prix Nobel de la paix en 1969.

Les ONG représentant la société civile

Ne relevant ni d'un État, ni d'une institution internationale, les Organisations non gouvernementales sont constituées de membres de la société civile. Elles sont des milliers à travers le monde à œuvrer pour la défense des droits humains. Souvent spécialisées, elles agissent dans le domaine médical, alimentaire, juridique, éducatif, environnemental ; elles interviennent en urgence en cas de catastrophe humanitaire ou soutiennent, sur le long terme, l'aide au développement. De taille modeste ou d'envergure internationale, les ONG utilisent fréquemment les médias pour mobiliser l'opinion publique en faveur des causes qu'elles défendent.

Parmi les derniers Prix Nobel de la paix, plusieurs défenseurs des droits de l'homme

• Shirin Ebadi,

avocate iranienne, elle défend des dissidents et des militants pour les droits de l'homme qui s'engagent pour le droit des femmes et celui des enfants. En 2003, elle est la première iranienne à recevoir le Prix Nobel de la paix.

• Muhammad Yunus,

Économiste originaire du Bangladesh, il est le fondateur de la Grameen Bank, première banque pratiquant le microcrédit. Surnommé le « banquier des pauvres », il a reçu le Prix Nobel de la paix en 2006.

• Liu Xiaobo,

Écrivain chinois, il milite pour la défense des droits humains et la démocratie. En 2009, il est accusé de subversion du pouvoir de l'État puis condamné à 11 ans de prison. En 2010, Liu Xiaobo reçoit le Prix Nobel de la paix pour « ses efforts durables et non violents en faveur des droits de l'homme en Chine », mais n'est pas autorisé à se rendre à Oslo pour recevoir son prix.

• Tawakkul Karman,

militante yéménite défendant le droit des femmes ; **Ellen Sirleaf,** première femme à avoir été élue présidente d'un État africain, le Liberia ; **Leymah Gbowee,** militante pacifiste ayant œuvré au rétablissement de la paix dans son pays et aux progrès des droits des femmes au Liberia, ont toutes les trois ont reçu le Prix Nobel de la paix en 2011 pour leur action non violente en faveur des femmes et leur participation active dans la construction de la paix.

Déclaration universelle des droits de l'homme (1948)
Extraits

Article premier

Tous les êtres humains naissent libres et égaux en dignité et en droits. Ils sont doués de raison et de conscience et doivent agir les uns envers les autres dans un esprit de fraternité.

Article 2

Chacun peut se prévaloir de tous les droits et de toutes les libertés proclamés dans la présente Déclaration, sans distinction aucune, notamment de race, de couleur, de sexe, de langue, de religion, d'opinion politique ou de toute autre opinion, d'origine nationale ou sociale, de fortune, de naissance ou de toute autre situation.

Article 3

Tout individu a droit à la vie, à la liberté et à la sûreté de sa personne.

Article 4

Nul ne sera tenu en esclavage ni en servitude ; l'esclavage et la traite des esclaves sont interdits sous toutes leurs formes.

Article 5

Nul ne sera soumis à la torture, ni à des peines ou traitements cruels, inhumains ou dégradants.

Article 8

Toute personne a droit à un recours effectif devant les juridictions nationales compétentes contre les actes violant les droits fondamentaux qui lui sont reconnus par la constitution ou par la loi.

Article 9

Nul ne peut être arbitrairement arrêté, détenu ou exilé.

Article 10

Toute personne a droit, en pleine égalité, à ce que sa cause soit entendue équitablement et publiquement par un tribunal indépendant et impartial, qui décidera, soit de ses droits et obligations, soit du bien-fondé de toute accusation en matière pénale dirigée contre elle.

Article 11

Toute personne accusée d'un acte délictueux est présumée innocente jusqu'à ce que sa culpabilité ait été légalement établie au cours d'un procès public où toutes les garanties nécessaires à sa défense lui auront été assurées.

Article 12

Nul ne sera l'objet d'immixtions arbitraires dans sa vie privée, sa famille, son domicile ou sa correspondance, ni d'atteintes à son honneur et à sa réputation. Toute personne a droit à la protection de la loi contre de telles immixtions ou de telles atteintes.

Article 13

1. Toute personne a le droit de circuler librement et de choisir sa résidence à l'intérieur d'un État.
2. Toute personne a le droit de quitter tout pays, y compris le sien, et de revenir dans son pays.

Article 14

Devant la persécution, toute personne a le droit de chercher asile et de bénéficier de l'asile en d'autres pays.

Article 15

1. Tout individu a droit à une nationalité.
2. Nul ne peut être arbitraire-ment privé de sa nationalité, ni du droit de changer de nationalité.

Article 16

1. À partir de l'âge nubile, l'homme et la femme, sans aucune restriction quant à la race, la nationalité ou la religion, ont le droit de se marier et de fonder une famille. Ils ont des droits égaux au regard du mariage, durant le mariage et lors de sa dissolution.
2. Le mariage ne peut être conclu qu'avec le libre et plein consen-tement des futurs époux.

Article 17

1. Toute personne, aussi bien seule qu'en collectivité, a droit à la propriété.
2. Nul ne peut être arbitraire-ment privé de sa propriété.

Article 18

Toute personne a droit à la liberté de pensée, de conscience et de religion ; ce droit implique la liberté de changer de religion ou de conviction ainsi que la liberté de manifester sa religion ou sa conviction seule ou en commun, tant en public qu'en privé, par l'enseignement, les pratiques, le culte et l'accomplissement des rites.

Article 19

Tout individu a droit à la liberté d'opinion et d'expression, ce qui implique le droit de ne pas être inquiété pour ses opinions et celui de chercher, de recevoir et de répandre, sans considéra-tions de frontières, les informa-tions et les idées par quelque moyen d'expression que ce soit.

Article 21

1. Toute personne a le droit de prendre part à la direction des affaires publiques de son pays,

soit directement, soit par l'intermédiaire de représentants librement choisis.

2. Toute personne a droit à accéder, dans des conditions d'égalité, aux fonctions publiques de son pays.

3. La volonté du peuple est le fondement de l'autorité des pouvoirs publics ; cette volonté doit s'exprimer par des élections honnêtes qui doivent avoir lieu périodiquement, au suffrage universel égal et au vote secret ou suivant une procédure équivalente assurant la liberté du vote.

Article 23

1. Toute personne a droit au travail, au libre choix de son travail, à des conditions équitables et satisfaisantes de travail et à la protection contre le chômage.

2. Tous ont droit, sans aucune discrimination, à un salaire égal pour un travail égal.

3. Quiconque travaille a droit à une rémunération équitable et satisfaisante lui assurant ainsi qu'à sa famille une existence conforme à la dignité humaine et complétée, s'il y a lieu, par tous autres moyens de protection sociale.

4. Toute personne a le droit de fonder avec d'autres des syndicats et de s'affilier à des syndicats pour la défense de ses intérêts.

Article 25

1. Toute personne a droit à un niveau de vie suffisant pour assurer sa santé, son bien-être et ceux de sa famille, notamment pour l'alimentation, l'habillement, le logement, les soins médicaux ainsi que pour les services sociaux nécessaires ; elle a droit à la sécurité en cas de chômage, de maladie, d'invalidité, de veuvage, de vieillesse ou dans les autres cas de perte de ses moyens de subsistance par suite de circonstances indépendantes de sa volonté.

2. La maternité et l'enfance ont droit à une aide et à une assistance spéciales. Tous les enfants, qu'ils soient nés dans le mariage ou hors mariage, jouissent de la même protection sociale.

Article 26

1. Toute personne a droit à l'éducation. L'éducation doit être gratuite, au moins en ce qui concerne l'enseignement élémentaire et fondamental. L'enseignement élémentaire est obligatoire. L'enseignement technique et professionnel doit être généralisé ; l'accès aux études supérieures doit être ouvert en pleine égalité à tous en fonction de leur mérite.

2. L'éducation doit viser au plein épanouissement de la personnalité humaine et au renforcement du respect des droits de l'homme et des libertés fondamentales. Elle doit favoriser la compréhension, la tolérance et l'amitié entre toutes les nations et tous les groupes raciaux ou religieux, ainsi que le développement des activités des Nations Unies pour le maintien de la paix.

Article 28

Toute personne a droit à ce que règne, sur le plan social et sur le plan international, un ordre tel que les droits et libertés énoncés dans la présente Déclaration puissent y trouver plein effet.

· · · · · · · · · · · · · · · ·

Convention internationale des droits de l'enfant (1989) Extraits

Article 1

Au sens de la présente convention, un enfant s'entend de tout être humain âgé de moins de dix-huit ans, sauf si la majorité est atteinte plus tôt, en vertu de la législation qui lui est applicable.

Article 2

Les États parties s'engagent à respecter les droits qui sont énoncés dans la présente Convention et à les garantir à tout enfant relevant de leur juridiction, sans distinction aucune, indépendamment de toute considération de race, de couleur, de sexe, de langue, de religion, d'opinion politique ou autre de l'enfant ou de ses parents ou représentants légaux, de leur origine nationale, ethnique ou sociale, de leur situation de fortune, de leur incapacité, de leur naissance ou de toute autre situation.

Article 3

Dans toutes les décisions qui concernent les enfants, qu'elles soient le fait des institutions publiques ou privées de protection sociale, des tribunaux, des autorités administratives ou des organes législatifs, l'intérêt supérieur de l'enfant doit être une considération primordiale.

Article 7

L'enfant est enregistré aussitôt sa naissance et a dès celle-ci le droit à un nom, le droit d'acquérir une nationalité et, dans la mesure du possible, le droit de connaître ses parents et être élevé par eux.

Article 8

Les États parties s'engagent à respecter le droit de l'enfant de préserver son identité, y compris sa nationalité, son nom et ses relations familiales, tels qu'ils sont reconnus par la loi, sans ingérence illégale.

Article 12

1. Les États parties garantissent à l'enfant qui est capable de discernement le droit d'exprimer librement son opinion sur toute question l'intéressant, les opinions de l'enfant étant dûment prises en considération eu égard à son âge et à son degré de maturité.

Article 13

L'enfant a droit à la liberté d'expression. Ce droit comprend la liberté de rechercher, de recevoir et de répandre des informations et des idées de toute espèce, sans considération de frontières, sous une forme orale, écrite, imprimée ou artistique, ou par tout autre moyen du choix de l'enfant.

Article 16

Nul enfant ne fera l'objet d'immixtions arbitraires ou illégales dans sa vie privée, sa famille, son domicile ou sa correspondance, ni d'atteintes illégales à son honneur et à sa réputation.

Article 19

Les États parties prennent toutes les mesures législatives, administratives, sociales et éducatives appropriées pour protéger l'enfant contre toutes formes de violence, d'atteinte ou de brutalités physiques ou mentales, d'abandon ou de négligence, de mauvais traitements ou d'exploitation, y compris la violence sexuelle, pendant qu'il est sous la garde de ses parents ou de l'un d'eux, de son ou ses représentants légaux ou de toute autre personne à qui il est confié.

Article 23

Les États parties reconnaissent que les enfants mentalement ou physiquement handicapés doivent mener une vie pleine et décente, dans des conditions qui garantissent leur dignité, favorisent leur autonomie et facilitent leur participation active à la vie de la collectivité.

Article 24

Les États parties reconnaissent le droit de l'enfant de jouir du meilleur état de santé possible et de bénéficier de services médicaux et de rééducation.

Ils s'efforcent de garantir qu'aucun enfant ne soit privé du droit d'avoir accès à ces services.

Article 27

1. Les États parties reconnaissent le droit de tout enfant à un niveau de vie suffisant pour permettre son développement physique, mental, spirituel, moral et social.
2. C'est aux parents ou autres personnes ayant la charge de l'enfant qu'incombe au premier chef la responsabilité d'assurer, dans les limites de leurs possibilités et de leurs moyens financiers, les conditions de vie nécessaires au développement de l'enfant.

Article 28

1. Les États parties reconnaissent le droit de l'enfant à l'éducation, et en particulier, en vue d'assurer l'exercice de ce droit progressivement et sur la base de l'égalité des chances :
a) Ils rendent l'enseignement primaire obligatoire et gratuit pour tous ;
c) Ils assurent à tous l'accès à l'enseignement supérieur, en fonction des capacités de chacun, par tous les moyens appropriés ;
d) Ils rendent ouvertes et accessibles à tout enfant l'information et l'orientation scolaires et professionnelles ;
e) Ils prennent des mesures pour encourager la régularité de la fréquentation scolaire et la réduction des taux d'abandon scolaire.

Article 32

1. Les États parties reconnaissent le droit de l'enfant d'être protégé contre l'exploitation économique et de n'être astreint à aucun travail comportant des risques ou susceptible de compromettre son éducation ou de nuire à son développement physique, mental, spirituel, moral ou social.

2. Les États parties prennent des mesures [...]
a) Fixent un âge minimum ou des âges minimums d'admission à l'emploi ;
b) Prévoient une réglementation appropriée des horaires de travail et des conditions d'emploi.

Article 34

Les États parties s'engagent à protéger l'enfant contre toutes les formes d'exploitation sexuelle et de violence sexuelle.

Article 37

Les États parties veillent à ce que :
a) Nul enfant ne soit soumis à la torture ni à des peines ou traitements cruels, inhumains ou dégradants : ni la peine capitale ni l'emprisonnement à vie sans possibilité de libération ne doivent être prononcés pour les infractions commises par des personnes âgées de moins de 18 ans ;
b) Nul enfant ne soit privé de liberté de façon illégale ou arbitraire : l'arrestation, la détention ou l'emprisonnement d'un enfant doit être en conformité avec la loi, être qu'une mesure de dernier ressort et être d'une durée aussi brève que possible.

Article 38

1. Les États parties s'engagent à respecter et à faire respecter les règles du droit humanitaire international qui leur sont applicables en cas de conflit armé et dont la protection s'étend aux enfants.
2. Les États parties prennent toutes les mesures possibles dans la pratique pour veiller à ce que les personnes n'ayant pas atteint âge de 15 ans ne participent pas directement aux hostilités.